DISTRIBUIDORA
A.L. MATEOS, S.A.
Marcelina, 23. 28029 MADRID

Calderón de
la Barca

El alcalde
de Zalamea

TITULO: *EL ALCALDE DE ZALAMEA*

AUTOR: *CALDERON DE LA BARCA*

DIRECTOR DE COLECCION: *Eduardo Mateos Sanz*

DISEÑO PORTADA: *Juan Manuel Domínguez*

INTRODUCCION: *Juan Carlos Garrot* (Licenciado Filología Hispánica)

EDITA: M. E. Editores, S. L.
DISTRIBUYE: Dist. Mateos, S. A.
C/ Marcelina n.º 23
28029 Madrid-España

IMPRESO en: Librograf, S. A.
© DIST. MATEOS, S. A.
PARA ESTA EDICION
© M. E. EDITORES, S. L. 1994
I.S.B.N.: 84-495-0045-1
DEPOSITO LEGAL: M-6791-1994

IMPRESO EN ESPAÑA - PRINTED IN SPAIN

Introducción

Juan Carlos Garrot
Licenciado en Filología Hispánica

La oposición entre las figuras de Lope de Vega y
Calderón, tomados como modelos estéticos y vitales
contrarios, como todas las simplificaciones ofrece ventajas de índole pedagógica, pero también peligros por cuanto
entraña de esquematismo reductor, de pereza mental, de
recurso fácil. Cuesta, sin embargo, rehuir la tentación de
esbozar algunos paralelismos.

Calderón alcanzó la dignidad como autor dramático
que a Lope le fue negada. Conquistó los escenarios
comerciales, luego los cortesanos. De la mano del éxito
vinieron las dignidades: hábitos, prebendas y considera-
ción social buscados infructuosamente por tantos otros.
Sin embargo, su primera juventud hacía esperar un destino
menos respetable: pendencias, problemas con la justicia y
la Iglesia al mismo tiempo que estudios de Leyes y el
ejercicio literario (1). Pero no voy a emprender un esbozo
biográfico para el cual, por otra parte carecemos de
muchos datos. Resumo: familia hidalga introducida en la
burocracia de Palacio, estudios universitarios, juventud
bohemia, rápido triunfo teatral, introducción en la corte –a
partir de esta época, 1630, lleva la vida del poeta áulico–.
No faltan los episodios bélicos: acude al sitio de Fuente-
rrabía, 1638, participa en la guerra de Cataluña... Nueva

---

(1) El episodio más escandaloso fue la persecución de Pedro Villegas, autor
de comedias, esto es, director de compañías, hasta un convento de monjas de
clausura, donde profesaba una hija de Lope. En ese momento, Calderón cuenta
veintinueve años, ocurrió en 1629, y ya no es un niño.

vuelta a la corte. Durante estos años le nace una hija, sobre la cual sabemos también muy poco dada la extrema discreción del autor (2). En el año 1651 se produce un cambio radical en su vida. Toma los hábitos sin que se produzca suceso alguno que desdiga después de su nuevo estado. Deja también de escribir para los corrales de comedias; se dedica únicamente a los autos sacramentales y a las representaciones palaciegas, actividad continuada hasta su muerte a pesar de la oposición de algunos miembros de la jerarquía eclesiástica, nunca muy amigos de la escena (3).

Los manuales de Historia de la Literatura dividen el estudio del teatro clásico español en dos bloques: Lope y su escuela y Calderón y la suya. De nuevo una simplificación peligrosa, pero no es el lugar idóneo para dirimir su mayor o menor pertinencia (4). Cuando Calderón inicia su carrera de dramaturgo tiene tras sí un buen número de autores comandados por Lope, una fórmula teatral muy codificada y la presión del público, entendido y acostumbrado a modos, temas y técnicas concretas. La generación anterior había reaccionado drásticamente frente a la tradición teatral; la de Calderón no cambia sino que sigue el camino abierto por sus mayores puliendo, perfeccionando, podando lo superfluo. Se produce un cambio decisivo, externo, si se quiere, a los dramaturgos pero decisivo para la posterior marcha de la comedia: las nuevas posibilidades escenográficas surgidas tras la llegada de ingenieros italianos a la corte de Felipe IV. Se llega a una concepción del teatro como espectáculo total:

(2) Esta discreción contrasta con la publicidad que daba Lope a su vida íntima y ha llevado a ciertos estudiosos a hablar de hipocresía: Vid. Ch. V. Aubrun, *La comedia española 1600-1680,* Madrid, Taurus, 1981[2], 167, donde se traza un panorama poco halagüeño de su personalidad.

(3) Tirso de Molina también encontró problemas con sus superiores. Sinceramente no puede sorprendernos que se viera cierta incompatibilidad entre las funciones de un fraile o un sacerdote y la actividad teatral.

(4) En relación con esa visión se encuentra el estudio de la obra de cada uno como si se tratara de un bloque homogéneo, sin cambios. Para un buen estudio global del teatro clásico español, vid. Aubrun, op. cit. F. Ruiz Ramón, *Historia del teatro español. I.,* Madrid, Cátedra, 1979[3] y ahora, J. R. Díez Borque, director, *Historia del teatro español,* Madrid, Taurus, 1984.

palabra, música, pintura, del cual Calderón fue auténtico virtuoso (5). En tal aspecto sí se diferencian, y mucho, las obras de uno y otro período.

Se ha caracterizado al teatro calderoniano por su rigor, por la búsqueda de la unidad. Por ejemplo, la acción. Lope criticaba la inserción de elementos postizos, episódicos, pero hasta sus últimos años no consiguió desprenderse de ciertos problemas para lograr una acción unitaria (6). Calderón lo hace desde el comienzo: las escenas se traban unas con otras por relación causal; desaparece la acción doble o se encuentra tan perfectamente integrada que no puede desprenderse una de la otra. Este mayor control se traduce en una mayor claridad expositiva del material y de los temas dramáticos (7).

Otro punto destacable es la importancia de los personajes. Suele haber un protagonista o una pareja de ellos, alrededor de los cuales se agrupan los demás en relación subordinada. Al mismo tiempo, se traza una estrecha relación tema/personaje: estos se encuentran en función de aquél o aquéllos (8). Sus dramas son edificios construidos con el máximo rigor formal y coherencia, pero este orden envuelve un mundo de caos y violencias constantes

---

(5) N. D. Shergold, *A Story of the Spanish Stage,* Oxford, 1967 y O. Arróniz, *Teatros y escenarios del Siglo de Oro,* Madrid, Gredos, 1977.

(6) Vid. A. E. Sloman, *The dramatic craftmanship of Calderón,* Oxford, 1958, pág. 278 y siguientes.

(7) Ruiz Ramón, op. cit. pág. 216.

(8) Sloman, op. cit. pág. 283. En un artículo convertido en clásico del hispanismo, el profesor Parker proponía cinco puntos para interpretar un drama español barroco. De ellos, los tres primeros son irrebatibles en el caso de Calderón: 1) Primacía de la acción sobre la caracterización de los personajes, siguiendo la doctrina aristotélica: 2) Primacía del tema sobre la acción, lo cual explica las abundantes inverosimilitudes denunciadas a partir del Neoclasicismo de estas piezas y 3) La unidad dramática se encuentra en el tema y no en la acción. Con todas las matizaciones pertinentes, en *La Vida es sueño* habría que invertir los términos, tales principios sirven de gran ayuda a la hora de comprender la dramaturgia calderoniana. La importancia del aspecto temático resulta lógica en un autor preocupado por el adoctrinamiento y la elucidación de grandes problemas como lo fue Calderón. Vid. A. A. Parker "Aproximación al drama español" en la recopilación efectuada por M. Durán y R. González, *Calderón y la crítica,* Madrid, Gredos, 1976, I, pp. 329-357. El original inglés data de 1957.

resultando un conjunto marcado por el signo de la tensión.

Como muchos otros españoles contemporáneos suyos, Calderón percibió el progresivo deterioro del Imperio, la decadencia de la sociedad castellana. No tomó el camino de la crítica más o menos despiadada –Gracián, Quevedo–, sino el del "rearme moral", el del apuntalamiento del edificio en ruinas. Esto lo diferencia de autores que aceptaron una serie de valores sin discutirlos, Calderón necesitaba, además, defenderlos (9). Aparece, por lo tanto, como el ideólogo del poder, del orden establecido, terrenal y divino. Sus obras muestran la lucha de los individuos contra todas sus manifestaciones: padres contra hijos, súbditos contra sus señores, finalmente, el más grave, el hombre enfrentado a Dios. Todos ellos se saldan con la derrota del rebelde o muerto o asimilado (10). Si sus soluciones nos parecen conformistas, llevan aparejadas tanto sufrimiento que permite hablar de cierto horror ante la victoria de la sociedad, la familia o el elemento que entre en juego. En cualquier caso, pocos escritores pueden vanagloriarse de haber expresado las pasiones humanas con tanta amplitud y profundidad.

Junto a una visión de la sociedad perfectamente acorde con la del poder o poderes establecidos: Dios, Rey, Sociedad, Familia, etc., cabe hablar de un pensamiento calderoniano, quizá no original pero indudablemente coherente, desarrollado, sin el cual no podríamos concebir sus obras (11). Doy algunas características tomadas de don Angel Valbuena Prat:

— Pesimismo. Desengaño: A pesar de que el hombre es esencialmente bueno, de acuerdo con la doctrina católica, la visión del mundo ofrecida por Calderón y los barrocos españoles es pesimista, tendencio-

---

(9) Vid. J. A. Maraniss, *On Calderón,* University of Missouri Press, 1978, pp. 1-12.

(10) Aubrun, op. cit. pág. 178 y siguientes.

(11) Aparte de los libros citados en las dos últimas notas puede consultarse A. Valbuena Prat "Calderón y su personalidad en el siglo xvii" en *El teatro español en su Siglo de Oro,* Barcelona, Planeta, 1969, particularmente las págs. 252 y siguientes y C. Morón Arroyo: *Calderón. Pensamiento y teatro,* Santander, 1982.

samente pesimista. Sólo la existencia de Dios, la renuncia a las pompas de la tierra, que nada valen, de ahí el desengaño, aportan luz a nuestra existencia.

— Vida como teatro. Otro tópico barroco; de tan conocido ni merece explicación.

— Providencialismo. Para Calderón hay una intervención efectiva de Dios en la vida y destino humanos. El encuentro con Este acaba con las tensiones producidas por la desorientación del individuo perdido en un mundo laberíntico que intenta, pero no logra, comprender. La existencia carece de sentido sin la divinidad.

— Racionalismo compatible con la fe. El entendimiento revisa las creencias, se enfrenta a la realidad.

Todo lo anterior hace que los dramas calderonianos sean problemáticos, se preocupen por dilucidar qué es el hombre y cuál es el sentido de nuestra existencia. En esto no se aparta de todos los grandes autores de la literatura universal; la diferencia radica en la respuesta –para nosotros, hoy, simplemente en la posibilidad de la misma– basada en la fe religiosa, en el dogma católico. Las contestaciones ya se han dado de antemano –¿cabía otra posibilidad a un poeta cortesano, sacerdote, de la España del siglo xviii?– lo valioso lo encontramos en el doloroso camino hasta esa solución obligada.

EL ALCALDE DE ZALAMEA

Desconocemos con certeza la fecha de estreno y redacción de este drama de clasificación problemática (12). Se da como probable la de 1642; por tanto pertencería a la época durante la cual escribió Calderón sus obras más conocidas: *La vida es sueño* y *El médico de*

---

(12) Parece que fue escrita después de que el autor participara en el asalto de Lérida, cuando pasó al servicio del duque de Alba.

su honra, 1635, *El mágico prodigioso*, 1637, *El pintor de su deshonra*, entre 1640 y 1644, período de primera madurez tras el cual la crítica escatima los elogios salvo para el caso de los autos sacramentales. Se basa en una pieza homónima atribuida a Lope de Vega, pero introdujo cambios sustanciales (13). Ha recibido las alabanzas unánimes, incluso de los más acérrimos detractores de la dramaturgia barroca, en razón de su pretendido mayor "realismo" y, por encima de todo, a causa del personaje principal, Pedro Crespo, de una complejidad psicológica extraña para la época dentro y fuera de nuestras fronteras (14).

El asunto es de sobra conocido: el enfrentamiento de un villano con un noble para recuperar su honor. Nada nuevo: treinta años atrás Lope había estrenado *Fuenteovejuna* y *Peribáñez*. Contaba así con una serie de obras que habían presentado el conflicto noble/villano desde diferentes perspectivas. Como en la segunda o en *El villano en su rincón* nos hallamos ante la figura del labrador rico, pero al problema del honor, abordado por Calderón desde distintos ángulos a través de los diferentes personajes según veremos más adelante, se añade un contencioso jurisdiccional entre la justicia civil y la militar (15).

Antes de proceder a su análisis y de la misma manera que hiciera en *Fuenteovejuna* daré algunas nociones sobre el contexto histórico e ideológico para mejor situar la obra.

---

(13) Independiente de lo poco satisfactoria que resulta la clasificación efectuada por Menéndez Pelayo, y seguida más o menos a regañadientes por la crítica posterior, *El alcalde de Zalamea* plantea serias dificultades. Ha sido clasificada como tragedia, drama de caracteres, drama histórico y drama costumbrista. Para mí se trata de un drama de honor sin más.

(14) Quizá la principal acusación esgrimida contra el drama español es su falta de caracteres. El artículo citado de Parker intentaba responder a ese reproche y con él gran número de hispanistas: Sloman, Ruiz Ramón, Morón Arroyo, por citar unos pocos que han mostrado el anacronismo del aserto y la falsedad por lo que respecta a varios dramas de Calderón. No se puede juzgar a éste ni a Shakespeare con los parámetros del teatro realista decimonónico.

(15) Todo ello ejemplifica la rigurosa mente de Calderón educado en la escolástica jesuítica y su preocupación pedagógica necesitada de claridad expositiva para conseguir el propósito docente.

En cuanto al literario remito a lo que esbocé allí porque Calderón partía ya de una tradición de labradores dignos que Lope hubo de inventar.

Contexto histórico:
El labrador rico. Los conflictos militar/campesino.

La figura del labrador rico se encuentra bien documentada tanto en la literatura como en la historia: recordemos, para la primera, a Camacho y los padres de Dorotea, del *Quijote,* a Peribáñez o al Juan Labrador de *El villano en su rincón;* para la segunda los estudios de Domínguez Ortiz y Noël Salomon (16). Existían villanos que lograron acumular considerables riquezas, no demasiado numerosos pero sí lo suficiente como para justificar su aparición en la literatura y la preocupación de algunos pensadores. Veamos las razones. Aunque el dinero ha sido siempre un elemento primordial para la estimación social de una persona, la posesión de bienes materiales no ha ocupado siempre el primer lugar; en la época que nos ocupa, concretamente, el nacimiento disfrutaba de mayores prerrogativas. Por muy rico que fuera un villano jamás podría alcanzar privilegios restringidos a los nobles, desde el aristócrata hasta el pobre hidalgo. Consecuentemente, todo aquél que podía intentaba acceder a ese grupo privilegiado, la nobleza, cuyas prebendas iban desde la exención de impuestos, a ventajas penales, pasando por la superioridad social. Y a partir sobre todo de 1600 esto se lograba con dinero, comprando la nobleza. También por medio del matrimonio: se podía casar a la hija con algún noble arruinado. Además de las tensiones surgidas entre estos villanos ricos y la nobleza se plantea otro problema, el del absentismo (17). Una vez ascendido socialmente, el

---

(16) N. Salomon, Recherches sur le thème paysan dans la "comedia" au temps de Lope de Vega, Bordeaux, 1965. (Hay traducción española en Ed. Castalia, 1985). De Domínguez Ortiz puede consultarse el vol. III de la *Historia de España Alfaguara,* Madrid, Alianza, 1973.

(17) En el libro de Domínguez Ortiz arriba citado se da cuenta de algunos de estos conflictos casi siempre entre hidalgos pobres y campesinos ricos.

antiguo villano imitaba las costumbres de la clase superior lo cual implicaba entre otras cosas abandonar sus fincas y vivir en la corte con el consiguiente deterioro de la agricultura durante época de crisis económica y alimentaria. Convenía, pues, limitar tal tendencia: un medio posible, reconocer la dignidad del estado de labrador.

Entre las obligaciones de los villanos se encontraba la de alimentar y alojar a los tropas a su paso por las poblaciones. Había otra más terrible: formar los tercios. Se pagaban impuestos también con la sangre. Esta ultima carga no aparece en *El alcalde de Zalamea,* las dos primeras permiten el drama. Se encuentran abundantes testimonios de los problemas causados por un ejército cada vez menos disciplinado y peor pagado: violaciones, pillajes ya no con el enemigo sino con los compatriotas son la otra cara de la moneda pocas veces vista en el teatro (18). Como vemos, el drama de Calderón se hace eco de situaciones reales de la sociedad contemporánea transplantadas al escenario con mayor o menor fidelidad.

El contexto ideológico:
Honra. Honor. Limpieza de sangre.

Comienzo por aclarar una cuestión semántica. Honra y honor son vocablos intercambiables según lo muestran los textos literarios y *El tesoro de la lengua castellana o española* de Covarrubias, de 1611. La diferencia establecida a veces entre ambas no responde a la realidad ni ayuda a comprender mejor el problema. Gustavo Correa estudió el problema de la honra para explicar por qué interesaba de tal manera a un público variopinto un tema en principio vinculable sólo a la nobleza (19). Encuentra dos tipos de honra, una vertical y otra horizontal. La vertical supone una estratificación de la sociedad y su

---

(18) Se ha acusado, con razón, al teatro barroco de evitar reflejar los problemas de la sociedad contemporánea limitándose a la crítica de costumbres o a problemas morales o de carácter metafísico. Compárese con la picaresca, Cervantes o Gracián.

(19) G. Correa, "El doble aspecto de la honra en el teatro del siglo xvii", *Hipanic Review,* xxvi, (1958), pp. 99-107.

posesión depende del nacimiento. Los villanos carecen de ella aunque podían adquirirla por concesión real en pago de algún servicio. Junto a ella, aparece la honra horizontal, la reputación, el buen nombre. Depende de los demás, de la opinión. La vertical "actuaba como factor *diferenciador* en el sentido ascendente de *status,* al paso que la honra horizontal obraba con un sentido de *igualamiento* en calidad de símbolo de cohesión social (20)". De ahí la importancia de mantener la deshonra en secreto y, caso de conocerse, la imperiosa necesidad de lavarla para reincorporarse al grupo social, pues su pérdida ataca al individuo en cuanto tal y en cuanto miembro de la sociedad. Lo que distingue a España de otras sociedades europeas de ese tiempo es la importancia concedida a la honra horizontal. Se concibe ésta como algo perteneciente a todos los individuos sin distinción social aunque a algunos de ellos se les niegue: se trata, de otra particularidad española, de los descendientes de conversos.

Nos acercamos a uno de los asuntos más debatidos de nuestro pasado cultural cuyo estudio rebasa las posibilidades y fines de esta Introducción; destaco únicamente la mancha portada por quienes poseían ascendientes musulmanes o judíos. Los labradores se encontraban libres de cualquier sospecha: eran por definición cristianos viejos y esgrimen continuamente tal calidad en las obras literarias (21). En opinión de Noël Salomon, la limpieza de sangre y la posición social fundamentan un tipo de honor (el otro es el vertical), el honor campesino (22). Encontramos aquí una nueva restricción: se precisa no sólo sangre limpia sino riquezas para acceder a él. No obedece a la casualidad la gran riqueza de personajes como Peribáñez o Pedro Crespo, era necesaria para dotarlos de esa dignidad de la que disfrutan, del respeto de sus convecinos.

---

(20) Art. cit. pág. 104.

(21) Los moriscos se distinguían exteriormente del resto de la población, no así los descendientes de judíos. Estos vivían en las ciudades por lo cual los labradores no se habían mezclado con ellos.

(22) Op. cit. pp. 824-832 especialmente. Añade la idea igualitaria cristiano medieval, que nos acerca al concepto de dignidad moderna.

Análisis de la obra

Acción

Jornada I

Se inicia la obra con una compañía de soldados que marcha hacia Zalamea. No se trata de un grupo aguerrido, henchido de grandes ideales. Todo lo contrario: hombres cansados cuyo único fin es el dinero, dispuestos a desertar a la menor oportunidad, aunque en este caso, el soldado se expone a ser colgado por el inflexible don Lope de Figueroa, jefe del Ejército (23). Rebolledo, así se llama el que lleva la voz cantante, viaja acompañado por la *Chispa,* mujer de vida alegre. Juntos componen una pareja de pícaros sin escrúpulos. La canción que entonan recoge bien su espíritu:

Mate moros quien quisiere,
que a mí no me han hecho mal. (vv. 107-108)

El Capitán trae buenas noticias: la compañía puede descansar en Zalamea, a donde se aproximan. El sargento ya se ha encargado de alojar a la tropa: al oficial le ha reservado la casa del rico del pueblo, "...el más vano/ hombre del mundo..." (vv. 169-170) porque tiene una hija bellísima. De nuevo se nos avanza el carácter de un personaje antes de presentarlo en escena. De manera indirecta sabemos, además, que el Capitán es un mujeriego reconocido, de ahí la elección del sargento. Al Capitán parece no interesarle la idea: no juzga digna de su amor a villana alguna. Expresa el extendido prejuicio de gran

_____

(23) La escena refleja bien la moral de los tercios durante el siglo XVII. La degradación no se limita a la soldadesca, Rebolledo teme que los habitantes de Zalamea sobornen al oficial para evitarse alojar a los soldados. En novelas picarescas como *Guzmán de Alfarache* o *Estebanillo González* se abunda sobre la decadencia del Ejército español. Por otro lado, el recurso de presentar por medio de comentarios a un personaje antes de su intervención en escena, comentarios ciertos o falsos, la emplea regularmente Calderón, así como anticipar escenas o desenlaces sin que los personajes lo sepan. Por ejemplo, la primera disputa entre Juan Crespo y el Capitán, o la entrada a un convento de la hija de Crespo.

rendimiento literario sobre la superioridad física y espiritual del noble (24). Ambos dejan la escena y dan paso a otra pareja de parecidas características, relación amo/criado, pues el sargento desempeña claramente tal oficio con respecto a su superior, pero de características cómicas (25). La forman un desmedrado hidalgo, cuya figura recuerda a don Quijote si bien su antecedente más claro es el hidalgo hambriento de *El lazarillo de Tormes* y su criado, Nuño. Don Mendo anda perdidamente enamorado de la hija de Crespo, pero su desmedido orgullo le impide plantearse siquiera la idea de pedirla en matrimonio, lo cual remediaría su solemne pobreza. Se propone hacerla su amante y cuando se canse de ella, enviarla a un convento, vv. 336-8, adelanta, sin saberlo, el desenlace de la obra.

Aparte de la comicidad debida a los mordaces comentarios de Nuño sobre las hambres que pasan y el ridículo y desaforado orgullo del hidalgo, la escena destaca porque ilumina un procedimiento típicamente calderoniano. Un tema se aborda desde perspectivas diferentes, una acción se acompaña de su paralelo degradado. El capitán y Mendo son dos caras de la misma moneda, el prejuicio del noble, uno serio, otro bufo, pero comparten una mentalidad idéntica (26). El segundo aparece como la grotesca sombra del primero. La llegada de Pedro Crespo interrumpe el diálogo entre Mendo y la bella Isabel que, acompañada por su prima Inés, ha salido a la ventana para

(24) La villana por el simple hecho de serlo ni física ni espiritualmente podía competir con una noble. Abundan los casos de jóvenes de alta cuna criadas como plebeyas a quienes su sangre da una distinción innata; sirva de ejemplo *La ilustre fregona* de Cervantes. Para los varones rige lo mismo, véase *El vergonzoso en palacio* de Tirso.

(25) La mezcla de aspectos serios y cómicos dentro de la misma pieza contravenía las preceptivas renacentistas y clásicas pero respondía al deseo de reflejar mejor la vida y dar variedad a la representación. Es habitual en Calderón flanquear la acción seria con una caricatura de la misma, normalmente a cargo de los graciosos.

(26) Constatamos los límites de la crítica en Calderón, no olvidemos noble y militar él mismo. El hidalgo era una figura ridícula dentro de la literatura española, pero cuando se subía dentro del escalafón del estamento nobiliario, el "decoro" permitía presentar individuos reprobables pero nunca grotescos.

repetirle lo inútil de pasear su calle. Le sigue el primogénito, Juan, por el otro extremo de la calle y amo y criado despejan el campo con miedo mal encubierto. Efectivamente, padre e hijo no aprecian el cortejo del "hidalgote" (v. 405) y lo quieren escarmentar. El primero viene de sus campos, el segundo de jugar a la pelota y perder dinero (27). Imagen de dos actitudes: padre trabajador, hijo rico que malgasta el tiempo en la aldea.

Viene el sargento para comunicar el forzoso hospedaje del Capitán. Por la respuesta de Crespo comprobamos su carácter orgulloso, consciente de la importancia que le confiere su riqueza: lo interrumpe, lo interpela de manera algo desabrida "¿Hay algo que usté le mande?" (v. 466). Lo trata como a un inferior. Al marchar el militar asistiremos a un importantísimo diálogo entre los dos labradores porque plantea el nudo ideológico de la pieza: la dignidad del villano. Juan desearía que su padre comprara una ejecutoria de hidalgo, así se vería libre de prestar ciertos servicios humillantes, tal el alojamiento de soldados. Pedro se niega porque todo el mundo sabe que es "si bien de limpio linaje/hombre llano..." (28). Si comprara la hidalguía no sería más limpio y todo el mundo seguiría conociendo sus orígenes y consideraría postizo su nuevo estado. Confirma de esta manera las prerrogativas de la sangre y el poder de la opinión de los otros. Al nuevo argumento del hijo, con el ascenso social se libraría de las penalidades del trabajo del campo –un hidalgo pobre labra sin deshonrarse pero uno rico resulta extraño. El hijo propone vivir de las rentas implícitamente, asumir el papel de un caballero–. Crespo finaliza la discusión con una frase indicativa de su firme temple y afán de mando: sus padres fueron villanos, él lo es y sus hijos lo serán. El *pater familias* decide por todos. Hombre cauto, conocedor de los hábitos de los militares ordena a hija y sobrina que se

_____

(27) Las posesiones materiales fundamentan la honorabilidad del personaje. Sirve además de modelo: a pesar de sus riquezas, Crespo se ocupa de vigilar las faenas y trabaja él mismo. La agricultura era, por otro lado, el único trabajo manual que no deshonraba.

(28) Se inicia aquí la discusión sobre el honor, auténtico motor del drama. A Crespo le basta con ser cristiano viejo y gozar del respeto de sus convecinos.

retiren a un cuarto en los altos de la casa. La respuesta de Inés refleja muy bien la opinión de Calderón sobre estos casos: de nada sirve guardar a alguien si éste no quiere guardarse (vv. 554-556).

El capitán es recibido con toda la atención que su alcurnia merece. Juan admira su apostura y la envidia. Se refleja bien la condición del joven insatisfecho con la vida aldeana, su condición de campesino y el ansia de aventuras propia de la edad que la vida militar puede colmar (29). El sargento ha buscado a la guapa villana y aprovecha la ausencia del hermano para comunicar a su superior que la han escondido. Esto pica la curiosidad del oficial —comenzamos a comprobar los efectos contrarios de ocultarla; no siempre quien quita la ocasión, quita el peligro— antes indiferente. Idea una estratagema para conocerla para lo cual precisa de alguien habituado a marrullerías: Rebolledo. Ambos fingirán pelear y subirán hasta los pisos superiores hasta dar con las jóvenes. Alarmadas por el ruido, éstas salen. Isabel intercede por el pícaro y el Capitán lo concede. Vivamente impresionado por su belleza, comienza a requebrarla cual si se tratara de una dama, en abierta contradicción con su primer diálogo con el sargento. Crespo y su hijo acuden armados a inquirir qué sucede. Enseguida se percatan de la estratagema. La reacción del padre, molesto por el galanteo, evidencia su astucia: intenta quitar hierro al asunto, pero Juan, impulsivo, está a punto de desencadenar la tragedia. En esta escena reúne Calderón los conflictos principales del drama: pasión amorosa unida a desprecio de clase; orgullo de los villanos dispuestos a mantener su honra a cualquier precio y, cuando aparezca don Lope, el choque de jurisdicciones. Juan se declara dispuesto a no sufrir afrentas de nadie llegando si es preciso a morir "por la opinión", y cuando el Capitán se extraña de que un villano

_____

(29) Más adelante se unirá a don Lope para probar fortuna. Históricamente tal actitud conviene más al siglo anterior; hacia 1630, el Ejército español lo formaban mercenarios y soldados forzosos. Los nobles, a quienes correspondía el ejercicio de las armas habían perdido el ánimo de sus antepasados. Consecuentemente, también la razón de sus privilegios.

tenga opinión éste le replica contundentemente (30).
Cuando la pelea parece inevitable interviene el viejo
general recién llegado. Zanja la cuestión. Ante la amenaza
del castigo, Rebolledo confiesa la treta y don Lope decide
permutar hospedaje con el Capitán para evitar males
mayores. Queda a solas con Crespo y se va a continuar la
discusión sobre el honor villano, esta vez con los argu-
mentos correctos. Don Lope reclama el derecho de
imponer la ley sobre los militares, exentos de la jurisdicción civil, castigando a quien lo intentara aunque tuviera
razones. El no menos enérgico labrador replica que no
dudará en matar a quien toque su honor. Nueva sorpresa
del noble para quien el honor es patrimonio de los nobles
únicamente. La respuesta de Crespo, en versos por todos
conocidos, deja las cosas en su sitio:

> Al Rey la hacienda y la vida
> se ha de dar; pero el honor
> es patrimonio del alma,
> y el alma sólo es de Dios (31).

Jornada II

Prueba palpable de que nos encontramos ante una obra
donde los caracteres adquieren particular relevancia la
proporciona esta segunda jornada. Matiza el poeta los dos
principales con nuevos aspectos y nos lleva de manera
imperceptible al drama en un momento de paz familiar y
ternura, según veremos a continuación.

Un recurso muy común a la dramaturgia barroca

---

(30) Recordemos el artículo de G. Correa. Juan alude a la honra horizontal
que descansa en la reputación y no en la cuna.

(31) Tales privilegios jurisdiccionales se han mantenido incluso hasta
después de la dictadura de Franco. La oposición de los dos viejos, subrayada
formalmente por Calderón por medio del diálogo paralelístico, supone el
enfrentamiento entre la defensa del honor y privilegios corporativos y la del
honor inherente a todo hombre por el hecho de ser creado por Dios según
defiende Crespo en los vv. 873-876.

consistía en aprovechar los entreactos para avanzar en la acción. Al comenzar la jornada, los actores comunicaban al espectador los cambios acaecidos. Tenemos aquí buena muestra de ello. Nuño informa a su amo del cerco amoroso al que el capitán ha sometido a Isabel, sin éxito alguno; todo ello aderezado con las burlas del criado, implacable. Llega el Capitán que nos confirma lo anterior. Confiesa al Sargento la pasión amorosa despertada por la bella, alimentada por el desdén que le muestra. Su confidente, mostrando buen juicio, le da en los versos 65 a 79 la razón: Isabel no admite el amor de un caballero consciente de las barreras que los separan (32). Insiste el oficial con un largo parlamento donde expresa su deseo. Contrasta su lenguaje ardiente, poético con la hinchazón hueca de Mendo en semejantes circunstancias. Acuerda con Rebolledo dar serenata a Isabel esa noche, intentando que parezca cosa de los soldados.

En casa de Pedro Crespo se prepara la cena para el viejo caballero a quien acompañará el labrador. De nuevo construye Calderón diálogos paralelísticos: Crespo da la réplica a su interlocutor imitando el tono y contenido. Se llama la atención sobre el parecido de ambos y sobre la energía y seguridad en sí mismo del villano, entreverada de socarronería, que no se achica ante el noble. Comienzan los cánticos a cargo de la *Chispa*. Al principio no le dan importancia pero según sigue la ronda comienzan a encolerizarse y deciden interrumpir la velada. Cada uno por su lado, fingiendo retirarse a dormir, don Lope, Crespo y Juan salen a la calle para acuchillar a los impertinentes. De la acometida no se libran Nuño y Mendo, asistentes mudos a la escena. Los soldados se reagrupan con la intención de atacar a los villanos, (no sospechan la intervención de su general), mientras el Capitán pretende aplacarlos. La presencia de don Lope pone de nuevo orden. Decide la partida de las

---

(32) Aunque los matrimonios mixtos se produjeran, incluso entre nobles de cierta categoría necesitados de dinero, Isabel sabe que la pasión del Capitán no busca el matrimonio. Falta saber lo que pensaba, en todo caso, Calderón de esos enlaces sin que mediara reparación del honor mancillado.

tropas al amanecer a fin de ahorrar nuevos problemas.

El Capitán no se resigna a abandonar la villa sin ver otra vez a Isabel. Planea volver con sus secuaces y hablarle a la ventana. En la casa asistimos a una tierna escena de despedida. Don Lope se separa de Crespo como de un buen amigo, obsequia a la hija y toma a Juan bajo su protección. El discurso del padre al muchacho que parte hacia nuevos horizontes da hondura y humanidad inusitadas al labrador, convertido en personaje de excepción. Por encima de los prudentes consejos se encuentra el dolor contenido, la emoción del padre que se separa del hijo varón a su pesar, vv. 763-768. Insiste en la vida holgazana que llevaba el muchacho en la aldea. En la milicia puede hacerse hombre de provecho y ascender en la escala social (33). Cuando finalmente se va Juan, Crespo se sienta a la puerta de la casa, acompañado de Isabel, a contemplar el camino.

Calderón gustaba de cambios bruscos en la acción –el paso de momentos de calma a los de movimiento era característico desde Lope– y nos proporciona uno. Llega el Capitán y al ver el grupo, cambia de opinión: determina dar un golpe audaz. Los acontecimientos se suceden con gran velocidad: rapta a Isabel mientras sus acompañantes luchan con Crespo, fiero defensor del honor que ve perdido. Lo hieren y el sargento –de mejor pasta que Rebolledo– se opone a rematarlo. Lo llevarán al vecino bosque dende lo dejarán atado.

La jornada finaliza con Juan, cuyo caballo ha caído, que escucha lamentos de hombre y gemidos de mujer en la espesura (34). Atiende a los últimos, siguiendo los con-

---

(33) Este era el único medio legítimo de ascensión a los ojos de un conservador. La Corona podía dispensar la nobleza por servicios prestados, de hecho ese fue el caso de conquistadores y burócratas, aunque estos últimos no entraran en el juego teatral.

(34) La caída del caballo posee claro valor simbólico en Calderón hasta el punto de haber motivado un artículo dedicado a su estudio: A. Valbuena Briones, "El simbolismo en el teatro de Calderón: la caída del caballo", Revista de Filología, LXXIV, (1962), pp. 60-76. Para el simbolismo en general, rasgo muy acusado en su obra, puede consultarse: A. A. Parker, "Metáfora y símbolo en la interpretación de Calderón" en *Actas del I Congreso Internacional de Hispanistas*, Oxford, 1964, pp. 141-160.

sejos paternos. Una suerte de torbellino ha transformado la idílica felicidad de momentos antes en la mayor de las desdichas para una familia.

Jornada III

Isabel deambula sola por el bosque. El desconsolado soliloquio que declama, de gran belleza aunque poco verosímil a los ojos de un crítico decimonónico, consiste en una invocación al sol para que no salga y descubra su deshonra. Duda si volver a la aldea o desaparecer por completo; desesperada, toma el partido de buscar a su hermano, quien al parecer la sorprendió e intentó matarla (35). Escucha gritos de queja; se trata de su padre atado a un árbol Antes de liberarlo, temerosa del castigo, refiere Isabel lo sucedido. Otro parlamento de gran brillantez retórica y seguro lucimiento para la actriz: la resistencia de la joven, inútil ante la furia del agresor, la llegada del hermano, la lucha con el Capitán que la defiende del rígido concepto del honor familiar... todo ello servido, repito, con gran artificio: baste de ejemplo la disposición de los miembros de los versos 184-190. Juan hirió al Capitán y sus hombres lo han llevado a Zalamea para curarlo. La respuesta de Crespo responde a la filosofía neoestoica: su hija no debe avergonzarse, los hombres tienen que afrontar las desgracias de la vida con fortaleza de ánimo. Cuando regresan a la villa, el Escribano anuncia a Pedro Crespo su reciente nombramiento como alcalde. Esto cambia sus iniciales planes de matarlo, vv. 305-308; ahora puede encomendar la restitución de su honor a la justicia. El mismo Escribano le confirma la presencia del Capitán herido y le participa de la inminente llegada de

---

(35) Evidentemente no es verosímil, tras la violación y el intento de asesinato frustrado, que nadie se queje de manera parecida, pero las convenciones teatrales de cada época imponen modos y maneras distintos, lo cual no significa la desaparición de las mismas. Repárese en el valor simbólico concedido a la noche, cuando sucede su desgracia por contraposición al día.

En cuanto a la actitud del hermano no hace sino seguir las imposiciones del honor convencional.

Felipe II a Zalamea en su camino a Portugal. Sin conocer el exacto alcance de sus palabras, algo sucedido en otras ocasiones según hemos visto, afirma:

El (el Capitán) no dice quién le hirió;
pero, si esto se averigua,
será una gran causa (vv. 325-328).

Los alguaciles rodean la casa donde se encontraban los soldados y Crespo, provisto de la vara, símbolo de autoridad y justicia, se entrevista a solas con su ofensor. La escena, archiconocida, ha suscitado comentarios encontrados por parte de la crítica ya que el villano, orgulloso y enterizo hasta ese momento va a humillarse de manera absoluta ante el violador. Aparta la vara y de rodillas suplica al Capitán reparación por el único medio posible, el matrimonio. Aparte de reiterar la limpieza de su sangre, le propone hacerle entrega de todos sus bienes en concepto de dote, y se ofrece junto con su hijo como criado de la pareja. Envalentonado ante la momentánea debilidad de su antagonista, el noble muestra crueldad y desprecio absolutos. Crespo insiste y amenaza, pero el otro se siente seguro: confía en sus privilegios jurisdiccionales y en la parcialidad del consejo de guerra. Cuando lo llevan preso no parece creer realmente en un desenlace funesto a pesar de que el recién nombrado alcalde le augura un final cruento (36).

A continuación asistimos a una escena semiparódica con respecto a la anterior. Crespo quiere interrogar a

_____

(36) Dunn en "Honour and the Christian Background in Calderón", *BHS*, xxxvii (1960), pp. 75-105, recoge un artículo de Leavitt, "Pedro Crespo and the Captain in Calderon's *Alcalde de Zalamea*", *Hispania*, Baltimore, xxxviii (1958) pp. 430-431. Leavitt opina que Calderón sacrifica un gran carácter para asegurarse que la simpatía del público se dirigiera al candidato correcto, (traduzco la cita del art. cit. de Dunn, pág. 100). Dunn rechaza tal explicación y propone otra: identifica el sacrificio de Dios con el de Crespo. Estoy de acuerdo con Díez Borque en su edición de El Alcalde de Zalamea, Madrid, Castalia, 1981, cuando encuentra "difícil (de) aceptar –en toda su amplitud–esta conclusión", pág. 95. Aparte del seguro efecto sobre la audiencia de tal escena, nada desdeñable para un autor dramático, no me parece que deteriore al personaje sino al contrario, añade nuevos ingredientes a su rica composición. El tránsito de la súplica a la amenaza es lo suficientemente amplio, por otra parte, como para concederle verosimilitud.

Rebolledo y a la *Chispa,* disfrazada de paje. Amenaza con matar al reticente pícaro; para animarlo, su coima promete hacerle protagonista de una jácara; cuando Crespo sugiere aplicarle el mismo trato que a su compinche, descubre frescamente su condición de mujer... embarazada.

Se vacía la escena y aparece Juan. Dice un breve monólogo puramente informativo de cara al espectador, vv. 635-649, prescindible desde nuestra perspectiva actual en una representación de la obra. Divisa a su hermana, acompañada de Inés, e intenta matarla de nuevo. Afortunadamente, lo evita el padre que guarda sorpresas para ambos hijos: a Juan lo prende, como prueba, de cara a la galería, de su imparcialidad; a Isabel le exige firmar una querella contra el Capitán, para poder así actuar legalmente contra él. El hijo no sale de su asombro ante tal reacción, pues piensa haber obrado correctamente en salvaguarda del honor familiar. La hija, desorientada por la compresión paterna cuando esperaba el cruel castigo exigido por la costumbre, ve que hasta el momento sólo los interesados conocen lo sucedido: no así Escribano, alguaciles y demás pobladores de Zalamea. Se presenta don Lope en casa de su amigo, presa de enorme cólera ante la osadía de cierto alcaldillo que mantiene preso a varios militares. Nueva serie de intervenciones paralelas donde ambos viejos muestran tozudez y mal genio a raudales. Al enterarse el general de los extremos del caso intenta razonar: aduce la ley, de su parte, y asegura remediar la falta cometida. Ante la cerrazón Crespo se dispone a tomar por la fuerza la villa sin que su interlocutor se amedrente lo más mínimo. Sólo la aparición del rey impide la matanza. Felipe II, máximo árbitro, escucha las explicaciones del aguerrido labriego, empeñado en aparecer como alcalde, esto es ejecutor de la ley, y no como padre ofendido. El monarca encuentra correcto el procedimiento pero le recuerda que carece de jurisdicción sobre los militares y exige su remisión al tribunal correspondiente. Demasiado tarde; ya se ha dado garrote al Capitán. Crespo mantiene la sangre fría ante la cólera real y la desarma: el castigo ha sido justo ¿qué más da el ejecutor? La justicia del reino es una aunque posea varios brazos; lo importante es su proceder. Ante los hechos consumados nada queda al rey sino ratificar a Crespo y nombrarlo alcalde perpetuo de la villa. Don Lope le amonesta: de haber intervenido podría haber remediado el honor de Isabel a quien desde luego la muerte del Capitán en poco beneficia. Crespo la destina al convento (37). Los demás presos, incluido Juan a quien reitera el general su protección, quedan libres al momento sin que nadie parezca prever juicio alguno contra ellos: tal vez el ejemplar castigo del principal encausado se considere suficiente.

Personajes

El análisis de la acción nos ha permitido ya delinear con claridad las principales características del *dramatis personae,* en consecuencia, evitaré repeticiones inútiles. La crítica ha destacado unánimemente la importancia de los personajes en *El alcalde de Zalamea,* por encima de otros elementos y con la tónica general de su dramaturgia. Según C. A. Jones esto nacería de haber elegido como representantes de distintas concepciones del honor a dos individuos, mientras que en otras obras el conflicto se vive dentro de un mismo personaje, dividido por afectos contrarios. No se trataría del deseo deliberado de escribir un drama de caracteres, algo impensable en la época (38). Sea como fuere, lo que responde cabalmente a la técnica calderoniana es la configuración de los personajes. Des-

---

(37) Isabel se convierte en la víctima absoluta de la obra. El rey repara el honor familiar al nombrar a Crespo alcalde perpetuo; el respeto de los vecinos aumenta si cabe, pero la solución del convento salvo conversión paulina poco probable aparece como una salida destinada más a la opinión que a satisfacer a la desdichada joven.

(38) Valga de ejemplo el Segismundo de *La vida es sueño.* Las contradicciones que desgarran a este tipo de personajes se expresaban por medio de monólogos. En cuanto a las características de los personajes en sí, hay que recordar los distintos fines perseguidos por los autores clásicos y los realistas. A los primeros no les preocupaba presentar individuos lo cual no implica que hubieran de recurrir siempre al tipo: galán, padre, dama, etc. Se buscaban personajes de alcance general, universal.

taca una pareja, Crespo y don Lope y dentro de ella el primero sobre el segundo con diferencia. Esta organización bimembre, contrastiva, se continúa con otros elementos o con alguno de los anteriores. Veamos: El Capitán y Mendo se oponen a lo largo de toda la obra, aunque nunca crucen una palabra, como representantes de la actitud noble, seria una, caricaturizada la otra; también se oponen el primero y Juan, al tiempo que, globalmente, responden al binomio Crespo-don Lope, como representantes menos perfectos, quizá la juventud, de dos posiciones vitales. El general y su altanero oficial se presentan como militares enfrentados, igual que padre e hijo, dentro del campo de los labradores (39). De todas maneras, el eje indiscutible es Pedro Crespo. Para Dunn la superioridad de éste viene dada de su mayor consciencia del papel que desempeña y de no responder a ninguna actitud tópica. En los demás encontramos las típicas reacciones del joven oficial engreído, del viejo militar honorable pero no exento de prejuicios, del joven impetuoso, de la muchacha casta, etc. Crespo, por su parte, ni es labrador digno sólo, ni padre tierno o duro, ni personaje dramático de una pieza. La riqueza de matices que ha sabido proporcionarle Calderón, por encima de cierta idealización que encuentra Jones, lo convierten en pieza excepcional.

Wardropper observó atinadamente la distinta relevancia de los personajes femeninos según pertenecieran a un drama o a una comedia de capa y espada. En éstas su papel es decisivo, toman la iniciativa frente a los varones; por el contrario, en obras del tipo de *El alcalde de Zalamea,* las mujeres pasan a un segundo plano incluso en caso de ofensa personal cuya venganza corresponde a los padres y hermanos cuando son solteras, o al marido si

_____

(39) Este juego de contrastes se debe al interés por oponer distintas concepciones del honor, de los deberes y prerrogativas de los individuos. Ha buscado Calderón equilibrar las críticas al Capitán, (a quien por otra parte evita presentar de forma maniquea: la defensa de Isabel, cuando Juan la agrede así lo muestra), con la figura de don Lope, perfecto caballero, humano, al cual le es imposible comportarse de otra manera. Atentaría contra la más elemental verosimilitud si accediera de buen grado a las pretensiones de Crespo.

se han casado (40). Isabel, la víctima inocente del drama, no puede siquiera mantener oculta su desgracia que desde el punto de vista del código del honor se constituye en deshonra familiar. Es objeto del amor del Capitán, de la protección de su padre y hermano, todo menos un ser autónomo, lo cual no quiere decir que Calderón haya fallado en su concepción, simplemente no sobresale entre otras muchas doncellas del teatro hispano.

Los personajes menores han sido trazados por el autor con cuidado. Fijémonos en los dos pícaros, Rebolledo y la *Chispa* –otra visión de la milicia contrapuesta a la ofrecida por el Capitán y el viejo don Lope– o en el sargento, finamente individualizado. Los más mecánicos resultan ser la pareja cómica, Mendo y Nuño, muy sujetos a su condición de gracioso y fantasmón, respectivamente, pero su comicidad tiene importancia también desde el punto de vista temático.

Temática

Amor, honor y poder constituyen una tríada recurrente en el teatro calderoniano. *El alcalde de Zalamea* prescinde del último, concede escasa importancia al primero y vuelca su atención sobre el honor de manera patente. Tanto al comienzo de la presente Introducción, cuando se dieron unas someras nociones, como en el posterior análisis, se tocó este asunto. Ahora intentaremos explicar su funcionamiento en el drama.

Se habla de novedad por parte de Calderón a la hora de abordar el tema; se dice que Pedro Crespo sostiene una postura sobre la honra distinta a las convencionales mantenidas por los demás personajes, pero ¿en qué consiste tal diferencia? Para establecerlo conviene recordar las concepciones corrientes y comprobar posteriormente su inserción en el caso que nos ocupa. A las distinciones de Correa: honra vertical, debida al nacimiento, y honra vertical, reconocimiento público, y las matizaciones de

---

(40) B. W. Wardropper, *La comedia española del Siglo de Oro,* en volumen con E. Olson, *Teoría de la comedia,* Ariel, Barcelona, 1978.

Salomon, posesión de riquezas y limpieza de sangre se pueden añadir otras (41). Dunn, pensando concretamente en *El alcalde de Zalamea* pero con conclusiones de validez general, encuentra numerosos significados para la palabra honor:

— Dignidad exterior conferida por rango.

— Orgullo por superioridad de cuna.

— Respeto público, buen nombre del que disfruta una familia. Este es más fácilmente dañado por un escándalo que implique a sus mujeres.

— Integridad y reconocimiento de la misma por la gente. Esta idea representa más al honor como valor moral pero todavía envuelve el consenso general y es vulnerable al escándalo, si bien en menor medida que los otros tres (42).

Para el Capitán, el honor, proviniente de su nacimiento y de su categoría de oficial, es fuente de privilegios. Establece radicales barreras entre su situación y la de los inferiores a quienes sólo puede considerar como individuos a su servicio. El orgullo le ciega e impide calibrar bien los peligros de desafiar a los demás. Mendo, significa la caricatura de esa concepción y don Lope su versión digna. Como el joven don Alvaro, el general está muy pagado de su posición y privilegios, pero conoce también sus obligaciones. Se comporta como un auténtico caballero cuando se despide de Isabel tratándola con todo respeto, como si fuera dama y no villana. Paga así la hospitalidad de la familia y rinde homenaje a sus virtudes; cuando el Capitán la encuentra por vez primera la trata también galantemente pero con fines bien distintos. En sus relaciones con los inferiores, social o profesionalmente,

---

(41) La vinculación de honor con riqueza aunque parezca contradictoria con la visión aristocrática, honor = nacimiento, se encuentra documentada desde la Edad Media. Aparte del libro ya citado de Salomon puede verse también: J. A. Maravall, *Poder, honor y élites en el siglo xvii,* Madrid, Siglo XXI, 1979. Precisamente la falta de respeto hacia la figura del hidalgo radicaba en su pobreza.

(42) Dunn, art. cit. pág. 93.

mantiene don Lope una actitud dura, sin que su superioridad le impida percatarse del valor de las personas ni tratarlas con cariño y respeto. Dunn lo tacha de "corporativista" pero muestra bastante comprensión: adoptar otra perspectiva significaría perder verosimilitud y disminuiría la originalidad de su antagonista Pedro Crespo (43).

Pasemos al campo de los villanos. Juan asume una concepción del honor tan convencional y negativa como la del Capitán. No debe engañarnos esa defensa valerosa del honor familiar: sólo se preocupa de la opinión de los demás sin reflexionar en absoluto. El pretender matar a Isabel lo muestra de una crueldad fanática. Su propia hermana no escapa a esta visión estrecha: tras ser violada piensa en buscar a su hermano, permitiéndole así cumplir su ejecución y cuando encuentra a su padre cree inminente morir a sus manos. De ahí que no lo desate de inmediato y le refiera primero su desdicha para conmoverlo. El horror ante la publicidad de su deshonra indica que comparte la idea del honor-opinión (44). Frente a todos ellos, Crespo cuya concepción del asunto aparece teñida de contradicciones. Justifica su derecho a la honorabilidad no en razones sociales como hiciera Juan ante el Capitán: "que no hubiera un capitán/si no hubiera un labrador" (J. I. vv. 769-770), sino morales. Según él la honra reside en la virtud, "patrimonio del alma", en última instancia depende de Dios, "y el alma sólo es de Dios". En principio, sólo Dios podría quitar la honra o nuestra actitud moral, en cualquier caso, pero acabamos de ver que también la integridad se vinculaba con la opinión porque únicamente los santos desdeñan el mundo como para tratar direc-

---

(43) Se mezcla en don Lope el desprecio por los villanos con la estima por determinados individuos, Crespo y su familia, cuando los trata de cerca. Esto evidencia su falta de anteojeras, de la misma manera que su bondad de carácter queda comprobada con la reconciliación final. Y no olvidemos que jurídicamente le asistía toda la razón al exigir a los presos.

(44) Isabel sirve de paradigma de lo triste de la condición femenina en aquellos tiempos. En el art. cit. de Correa se explica por qué la sexualidad y la virginidad femenina se vinculan tan estrechamente al honor familiar en las sociedades mediterráneas hasta hece muy poco.

tamente con su conciencia. Así, perdona a su hija en absoluto responsable de nada y al mismo tiempo intenta que el Capitán la espose a fin de limpiar la ofensa ante la sociedad, concediendo a esa reparación importancia desmesurada (45). Escapa del cliché porque no se venga personalmente; convierte su satisfacción personal en cumplimiento de la justicia para lo cual no duda en hacer pública la violación y desafiar al "qué dirán". También podríamos pensar que Crespo apuesta fuerte y gana (46). La originalidad del drama no proviene de hacer protagonista de una acción seria, trágica, a un labrador, ni de dotarlo de dignidad, mérito de Lope de Vega. Reside en el planteamiento del tema de la honra, cuya elucidación, reconózcase, dista de poder considerarse lograda. Acabamos de señalar contradicciones. La ruptura con el código no llega a cumplirse totalmente, si bien éste se humaniza con respecto a muchos dramas de honor del mismo Calderón (47). Finalmente, conviene no olvidar el género literario ante el cual nos encontramos: teatro, y por mucho afán moralizador que encontremos en Calderón, sus obras no son tratados sino obras donde se plantean una serie de conflictos en clave dramática.

Con menor importancia con respecto al tema recién estudiado, tenemos el del amor. La pasión desenfrenada del Capitán por Isabel, donde hay mucho de orgullo herido ante la resistencia imprevista de una villana, "una furia un delirio/de amor" (J. II, vv. 831-832) según la califica el interesado, se parece mucho a la padecida por el Comendador de Ocaña en *Peribáñez*. En ambos casos se trata del dominio de los deseos sobre la razón, de concupiscencia

---

(45) Tampoco parece muy cristiano el afán vindicativo, el deseo de ejecutar él mismo al Capitán. Es más, si matar a su hija no va a devolverle el buen nombre, la muerte del Capitán sólo arregla el asunto de cara a la galería, incurriendo así en una visión tan estrecha como la de su hijo.

(46) Crespo actúa no como padre sino como autoridad; la ejecución se convierte en justicia. La ratificación de Felipe II le libra de cualquier culpa, algo improbable en caso de tratarse de venganza pura y simple, y le devuelve el crédito ante los convecinos.

(47) Vid. Jones, art. cit. y F. Rico, "El universo cerrado del drama de honor" en *Estudios de teatro español clásico y contemporáneo,* Madrid, Cátedra, 1979.

desbridada cuyas consecuencias rebasan el ámbito privado, tocan a lo social y merecen castigo.

Queda un último punto. Me refiero a las implicaciones sociales de *El alcalde de Zalamea*. Si bien rechazo las relaciones mecánicas que algunos establecen entre literatura y poder durante el Barroco, me parece clara la relación de este drama con algunos problemas que acuciaban a la sociedad española de la época –lo cual no equivale a convertir a Calderón en un funcionario–. Concretamente, el del absentismo rural. Ya he mencionado la tendencia de los terratenientes a abandonar sus posesiones para residir en la corte, y la de los villanos ricos a comprar la nobleza y pasar de miembros productivos de la colectividad a rentistas. Juan, ya lo vimos, aconseja a su padre en este sentido. Hábilmente esas pretensiones se unen con vida muelle y holgazana, (el muchacho viene de jugar a la pelota cuando propone a su padre adquirir ejecutoria de hidalgo), reprobable. Por el contrario, el padre a pesar de sus riquezas viene de vigilar los campos; no tiene complejo alguno por ser labrador, incluso expresa orgullo ante su condición. La ideología oficial debía apoyar lógicamente esa postura: hombre rico, productivo y villano, luego sujeto a cargas fiscales, y sin ganas de cambiar. A cambio, la compensación de dignificar su situación, de hacerla compatible con el orgullo y la autoestima (48).

Conclusión

La fama de *El alcalde de Zalamea,* su gran popularidad y aceptación se comprenden fácilmente. Posee las cualidades de las mejores obras de Calderón: perfecto desa-

---

(48) El caso de Crespo no puede extenderse a todos los villanos. Su honorabilidad le viene de la limpieza de sangre y las posesiones materiales. La una sin la otra pierden validez: campesino pobre o mercader rico, sospechoso de contar con antecedentes judíos, tendrían vedada esas prerrogativas. El intento de dignificar a los labradores se continuó en la Ilustración con los oficios en general: el desprestigio sobre ellos era tal que los padres querían que sus hijos no los ejercieran. De ahí el gran número de zapateros, sastres, etc. de origen ultrapirenaico registrado desde la Edad Media.

rrollo de la acción, dominio de las situaciones dramáticas, dosificación de los momentos de tensión, claridad expositiva, realce de los personajes, profundidad temática... sin algunos de los defectos que le achacan sus detractores: lenguaje hinchado, excesiva abstracción, contrucción demasiado rígida y alejamiento de la vida entre otros muchos, sin olvidar los ideológicos, procedentes de conservadores y progresistas (49). Lo curioso es que al estudiar la obra se descubre tanto rigor en su planteamiento como en cualquiera de las demás (50). Tampoco faltan inverosimilitudes en algunas escenas: los diálogos paralelísticos entre los dos tozudos viejos, el comienzo de la Jornada III, pero su lenguaje se acerca más a la llaneza lopesca si la comparamos con *La vida es sueño* o *Eco y Narciso* y la sensación de vida se impone con gran fuerza. La inclusión de la pareja *Chispa*-Rebolledo se ha considerado importante en tal sentido: es como una ráfaga de la picaresca dentro del acartonado mundo de la comedia española. Sin embargo, la razón clave, depende de la humanización de un conflicto tratado generalmente de manera rígida, atroz y, en consecuencia, la mayor complejidad de los caracteres (51). Estos rebasan la mera exposición de un problema, de una perspectiva, de un tipo social, como sucedía en la mayoría de los dramas, para acercarse a las dificultades de cualquier hombre.

El sentido último de *El alcalde de Zalamea* aparece envuelto de cierta oscuridad, toda vez que no cuadra con teorías bastante aceptadas sobre la interpretación de la dramaturgia calderoniana. Giran en torno a la justicia poética: al final de la obra se reparten premios y castigos

---

(49) A los primeros les horroriza la muerte de la esposa inocente pero acusada por las circunstancias de las tragedias de honor; los segundos añaden a la repulsa de esa bárbara actitud incompatible con el cristianismo, el pensamiento global de Calderón, representante durante tanto tiempo de la ortodoxia católica, defensor de la Monarquía Absoluta.

(50) Vid. A. A. Parker, "La estructura dramática de *El alcalde de Zalamea*", en *Homenaje a Casalduero*, Gredos, Madrid, 1972, pp. 411-417. Hay extracto del mismo en tomo III de *Historia y crítica de la Literatura Española*, Barcelona, Crítica, 1983, dirigida por F. Rico, pp. 792-797.

(51) Vid. *supra* nota 47.

según la actitud de los personajes. Todo castigo precisa responsabilidad moral anterior a la pena. Así se evita algo tan incompatible con la doctrina cristiana como la victoria de los pecadores y la existencia de víctimas inocentes (52). ¿En qué ha ofendido a Dios la familia de Crespo para merecer la deshonra? Particularmente Isabel, la gran perdedora: su padre y hermano serán rehabilitados finalmente mientras ella debe recluirse en el convento y no caben muchas dudas sobre lo forzado de la decisión. Estoy de acuerdo con Díez Borque cuando rechaza cualquier responsabilidad moral difusa entre los personajes, tampoco creo justa la acusación de Halkhoree. Isabel no peca de orgullo, salvo calificar así el rechazo a convertirse en la barragana del ridículo Mendo o en aventura de una noche para el Capitán (53). Como cuesta creer en el consentimiento del sufrimiento gratuito por parte de la Providencia, nunca ausente del teatro de Calderón, habremos de admitir con todas las matizaciones del caso las lecturas "transcendentes" de Dunn y Halkhoree cuando destacan el carácter transitorio de la vida terrena para un cristiano, lo breve y engañoso de la dicha mundana, en relación con la felicidad de la vida eterna. Sin embargo, aunque conceptualmente pueda justificarse esa solución, coherente con el pensamiento calderoniano, se hace difícil de integrarla totalmente en *El alcalde de Zalamea,* pero aquí topamos de nuevo con la diferencia entre literatura y sermón; en el último todo debe quedar claro; en el campo del arte, salvo casos extremos, se plantean interrogantes, pocas soluciones y reina la ambigüedad, la posibilidad de interpretaciones plurales.

---

(52) Aludo al artículo de Parker, citado en nota 8, y a otro del mismo autor, "Towards a Definition of Calderonian Tragedy" *Bulletin of Hispanic Studies,* xxxix, (1962), pp. 222-237.

(53) P. Halkhoree, *El Alcalde de Zalamea,* London, 1972, citado por Díez Borque, op. cit., pág. 97 y siguientes.

EL ALCALDE DE ZALAMEA

PERSONAS

EL REY FELIPE II
DON LOPE DE FIGUEROA.
DON ALVARO DE ATAIDE, *capitán*
UN SARGENTO.
LA CHISPA.
REBOLLEDO, *soldado.*
PEDRO CRESPO, *labrador, viejo.*
JUAN, *hijo de Pedro Crespo.*
ISABEL, *hija de Pedro Crespo.*
INES, *prima de Isabel.*
DON MENDO, *hidalgo.*
NUÑO, *su criado.*
UN ESCRIBANO.
SOLDADOS, *un tambor.*
LABRADORES, *acompañamiento.*

———————

La escena es en Zalamea y sus inmediaciones.

JORNADA PRIMERA

REBOLLEDO, CHISPA, SOLDADOS.

REBOLLEDO.

> ¡Cuerpo de Cristo con quien
> De esta suerte hace marchar
> De un lugar a otro lugar
> Sin dar un refresco!

TODOS.

> Amén.

REBOLLEDO.

> ¿Somos gitanos aquí,   5
> Para andar de esta manera?
> Una arrollada bandera
> ¿Nos ha de llevar tras sí,
> Con una caja...

SOLDADO 1º

> ¿Ya empiezas?

REBOLLEDO.

> Que este rato que calló,   10
> Nos hizo merced de no
> Rompernos estas cabezas?

SOLDADO 2º

> No muestres de eso pesar,
> Si ha de olvidarse, imagino,
> El cansancio del camino   15
> A la entrada del lugar.

REBOLLEDO.

¿A qué entrada, si voy muerto?
Y aunque llegue vivo allá,
Sabe mi Dios si será
Para alojar; pues es cierto   20
Llegar luego al comisario
Los alcaldes a decir
Que si es que se pueden ir,
Que darán lo necesario.
Responderles, lo primero,   25
Que es imposible, que viene
La gente muerta; y si tiene
El concejo algún dinero
Decir: «Señores soldados,
Orden hay que no paremos: 30
Luego al instante marchemos.»
Y nosotros, muy menguados,
A obedecer al instante
Orden, que es en caso tal,
Para él orden monacal,   35
Y para mí mendicante.
Pues ¡voto a Dios! que si llego
Esta tarde a Zalamea,
Y pasar de allí desea
Por diligencia o por ruego,   40
Que ha de ser sin mí la ida;
Pues no, con desembarazo,
Será el primer tornillazo
Que habré yo dado en mi vida

SOLDADO 1º

Tampoco será el primero   45
Que haya la vida costado
A un miserable soldado;
Y mas hoy, si considero
Que es el cabo de esta gente
Don Lope de Figueroa,   50
Que si tiene fama y loa
De animoso y de valiente,
La tiene también de ser

El hombre más desalmado,
Jurador y renegado   55
Del mundo, y que sabe hacer
Justicia del más amigo,
Sin fulminar el proceso.

REBOLLEDO.

¿Ven ustedes todo eso?
Pues yo haré lo que yo digo.   60

SOLDADO 2º

¿De eso un soldado blasona?

REBOLLEDO.

Por mí muy poco me inquieta;
Pero por esa pobreta,
Que viene tras la persona...

CHISPA.

Seor Rebolledo, por mí   65
Voacé no se aflija, no;
Que, como ya sabe, yo,
Barbada el alma, nací:
Y ese temor me deshonra;
Pues no vengo yo a servir   70
Menos, que para sufrir
Trabajos con mucha honra;
Que para estarme, en rigor,
Regalada, no dejara
En mi vida, cosa es clara,   75
La casa del regidor,
Donde todo sobra, pues
Al mes mil regalos vienen;
Que hay regidores que tienen
Menos regla con el mes.   80
Y pues a venir aquí,
A marchar y padecer
Con Rebolledo, sin ser
Postema, me resolví,
Por mí ¿en qué duda o repara?   85

REBOLLEDO.

> ¡Viven los cielos que eres
> Corona de las mujeres!

SOLDADO 2º

> Aquesa es verdad bien clara.
> ¡Viva la Chispa!

REBOLLEDO.

>   ¡Reviva!
> Y mas si por divertir   90
> Esta fatiga de ir
> Cuesta abajo y cuesta arriba,
> Con su voz al aire inquieta
> Una jácara o canción.

CHISPA.

> Responda a esa petición   95
> Citada la castañeta.

REBOLLEDO.

> Y yo ayudaré también.
> Sentencien los camaradas.
> Todas las partes citadas.

SOLDADO 1º

> ¡Vive Dios, que ha dicho bien!   100
>   (*Cantan Rebolledo y la Chispa*)

CHISPA.

> *Yo soy titiri, titiri, tina,*
> *Flor de la jacarandina.*

REBOLLEDO.

> *Yo soy titiri, titiri, taina,*
> *Flor de la jacarandaina.*

CHISPA.

> *Vaya a la guerra el alférez,*   105
> *Y embárquese el capitán.*

38

REBOLLEDO.

Mate moros quien quisiere,
Que a mí no me han hecho mal.

CHISPA.

Vaya y venga la tabla al horno,
Y a mí no me falte pan. 110

REBOLLEDO.

Huéspeda, máteme una gallina;
Que el carnero me hace mal.

SOLDADO 1º

Aguarda; que ya me pesa
(Que íbamos entretenidos
En nuestros mismos oídos) 115
De haber llegado a ver esa
Torre, pues es necesario
Que donde paremos sea.

REBOLLEDO.

¿Es aquélla Zalamea?

CHISPA.

Dígalo su campanario. 120
No sienta tanto voacé,
Que cese el cántico ya;
Mil ocasiones habrá
En que lograrle, porque
Esto me divierte tanto. 125
Que como de otras no ignoran
Que a cada cosita lloran,
Yo a cada cosita canto,
Y oirá uced jácaras ciento.

REBOLLEDO.

Hagamos alto aquí, pues 130
Justo, hasta que venga, es,
Con la orden el Sargento,

Por si hemos de entrar marchando
O en tropas.

SOLDADO 1º

                El solo es quien
Llega ahora; mas también   135
El Capitán esperando
Está.

(Salen EL CAPITAN y EL SARGENTO)

CAPITAN.

    Señores soldados,
Albricias puedo pedir:
De aquí no hemos de salir,
Y hemos de estar alojados   140
Hasta que Don Lope venga
con la gente que quedó
En Llerena; que hoy llegó
Orden de que se prevenga
Toda, y no salga de aquí   145
A Guadalupe, hasta que
Junto todo el tercio esté,
Y él vendrá luego; y así,
Del cansancio bien podrán
Descansar algunos días.   150

REBOLLEDO.

Albricias pedir podías.

TODOS.

¡Vítor nuestro Capitán!

CAPITAN.

Ya está hecho el alojamiento:
El comisario irá dando
Boletas, como llegando   155
Fueren.

CHISPA.

    Hoy saber intento
Por qué dijo, voto a tal,
Aquella jacarandina:
«Huéspeda, máteme una gallina;
Que el carnero me hace mal.»   160
      (*Vanse*)
     —

Calle.

(*Vanse todos menos* EL CAPITAN y EL SARGENTO)

CAPITAN.

    Señor Sargento, ¿ha guardado
Las boletas para mí,
Que me tocan?

SARGENTO.

              Señor, sí.

CAPITAN.

    ¿Y dónde estoy alojado?

SARGENTO.

    En la casa de un villano,   165
Que el hombre más rico es
Del lugar, de quien después
He oído que es el más vano
Hombre del mundo, y que tiene
Más pompa y más presunción   170
Que un infante de León.

CAPITAN.

    Bien a un villano conviene
Rico aquesa vanidad.

SARGENTO.

    Dicen que ésta es la mejor
Casa del lugar, señor: 175
Y si va a decir verdad,

Yo la escogí para ti,
No tanto porque lo sea,
Como porque en Zalamea
No hay tan bella mujer...   180

CAPITAN.

                    Di.

SARGENTO.

Como una hija suya.

CAPITAN.

                    Pues
Por muy hermosa y muy vana,
¿Será más que una villana
Con malas manos y pies?

SARGENTO.

¿Que haya en el mundo quien diga   185
Eso?

CAPITAN.

        ¿Pues no, mentecato?

SARGENTO.

¿Hay mas bien gastado rato
(A quien amor no le obliga,
Sino ociosidad no más)
Que el de una villana, y ver   190
Que no acierta a responder
A propósito jamás?

CAPITAN.

Cosa es que en toda mi vida,
Ni aun de paso, me agradó;
Porque en no mirando yo   195
Aseada y bien prendida
Una mujer, me parece
Que no es mujer para mí.

SARGENTO.

>Pues para mí, señor, sí,
Cualquiera que se me ofrece. 200
Vamos allá; que por Dios,
Que me pienso entretener
Con ella.

CAPITAN.

>¿Quieres saber
Cuál dice bien de los dos?
El que una belleza adora. 205
Dijo, viendo a la que amó:
«Aquélla es mi dama.» y no:
«Aquélla es mi labradora.»
Luego si dama se llama
La que se ama, claro es ya 210
Que en una villana está
Vendido el nombre de dama.
Mas ¿qué ruido es ése?

SARGENTO.

>Un hombre,
Que de un flaco rocinante
A la vuelta de esa esquina 215
Se apeó, y en rostro y talle
Parece a aquél Don Quijote,
De quien Miguel de Cervantes
Escribió las aventuras.

CAPITAN.

>¡Qué figura tan notable! 220

SARGENTO.

>Vamos, señor; que ya es hora.

CAPITAN.

>Lléveme el Sargento antes
A la posada la ropa,
Y vuelva luego a avisarme.
>> (*Vanse*)

(*Salen* DON MENDO y NUÑO.)

DON MENDO.

    ¿Cómo va el rucio?

NUÑO.

                  Rodado,   225
    Pues no puede menearse.

DON MENDO.

    ¿Dijiste al lacayo, di,
    Que un rato le pasease?

NUÑO.

    ¡Qué lindo pienso!

DON MENDO.

              No hay cosa
    Que tanto a un bruto descanse.   230

NUÑO.

    Aténgome a la cebada.

DON MENDO.

    ¿Y que a los galgos no aten,
    Dijiste?

NUÑO.

           Ellos se holgarán;
    Mas no el carnicero.

DON MENDO.

            Baste
    Y pues han dado las tres,   235
    Cálzome palillo y guantes.

NUÑO.

    ¿Si te prenden el palillo
    Por palillo falso?

DON MENDO.

                              Si alguien,
Que no he comido un faisán,
Dentro de sí imagínare,   240
Que allá dentro de sí miente;
Aquí y en cualquiera parte
Lo sustentaré.

NUÑO.

                              ¿Mejor
No sería sustentarme
A mí, que al otro, que en fin   145
Te sirvo?

DON MENDO.

                    ¡Qué necedades!
—En efecto, ¿que han entrado
Soldados aquesta tarde
En el pueblo?

NUÑO.

                    Sí, señor.

DON MENDO.

Lástima da el villanaje   250
Con los huéspedes que espera.

NUÑO.

Mas lástima da y más grande
Con lo que no espera...

DON MENDO.

                    ¿Quién?

NUÑO.

La hidalguez; y no te espante;
Que si no alojan, señor,
En casa de hidalgos a nadie,
¿Por qué piensas que es?

DON MENDO.

¿Por qué?

NUÑO.

Porque no se mueran de hambre.

DON MENDO.

En buen descanso esté el alma
De mi buen señor y padre,   260
Pues en fin me dejó una
Ejecutoria tan grande
Pintada de oro y azul,
Exención de mi linaje

NUÑO.

Tomáramos que dejara   265
Un poco del oro aparte.

DON MENDO.

Aunque, si reparo en ello,
Y si va a decir verdades,
No tengo que agradecerle
De que hidalgo me engendrase;   270
Por que yo no me dejara
Engendrar, aunque él porfiase,
Si no fuera de un hidalgo,
En el vientre de mi madre.

NUÑO.

Fuera de saber difícil.   275

DON MENDO.

No fuera, sino muy fácil.

NUÑO.

¿Cómo, señor?

DON MENDO.

                    Tú, en efecto,
Filosofía no sabes,
Y así ignoras los principios.

NUÑO.

      Sí, mi señor, y aun los antes   280
      Y postres, desde que como
      Contigo; y es, que al instante,
      Mesa divina es tu mesa,
      Sin medios, postres ni antes.

DON MENDO.

      Yo no digo esos principios.   285
      Has de saber que el que nace,
      Sustancia es del alimento
      Que antes comieron sus padres.

NUÑO.

      ¿Luego tus padres comieron?
      Esa maña no heredaste.   290

DON MENDO.

      Esto después se convierte
      En su propia carne y sangre:
      Luego si hubiera comido
      El mío cebolla, al instante
      Me hubiera dado el olor,   295
      Y hubiera dicho yo: «Tate,
      Que no me está bien hacerme
      De excremento semejante.»

NUÑO.

      Ahora digo que es verdad...

DON MENDO.

                  ¿Qué?

NUÑO.

      Que adelgaza la hambre   300
      Los ingenios.

DON MENDO.

              Majadero,
      ¿Téngola yo?

NUÑO.

                No te enfades;
Que si no la tienes, puedes
Tenerla, pues de la tarde
Son ya las tres, y no hay greda   305
Que mejor las manchas saque,
Que tu saliva y la mia.

DON MENDO.

Pues ésa. ¿es causa bastante
Para tener hambre yo?
Tengan hambre los gañanes;   310
Que no somos todos unos;
Que a un hidalgo no le hace
Falta el comer.

NUÑO.

             ¡Oh, quien fuera
Hidalgo!

DON MENDO.

           Y más no me hables
De esto, pues ya de Isabel   315
Vamos entrando en la calle.

NUÑO.

¿Por qué, si de Isabel eres
Tan firme y rendido amante,
A su padre no la pides?
Pues con eso tú y su padre   320
Remediaréis de una vez
Entrambas necesidades:
Tú comerás, y él hará
Hidalgos sus nietos.

DON MENDO.

             No hables
Más, Nuño, calla. ¿Dineros   325
Tanto habían de postrarme,
Que a un hombre llano por suegro
Había de admitir?

NUÑO.

                Pues antes
Pensé que ser hombre llano,
Para suegro, era importante;   330
Pues de otros dicen, que son
Tropezones, en que caen
Los yernos. Y si no has
De casarte, ¿por qué haces
Tantos extremos de amor?   335

DON MENDO.

¿Pues no hay sin que yo me case,
Huelgas en Burgos, adonde
Llevarla, cuando me enfade?
Mira si acaso la ves.

NUÑO.

Temo, si acierta a mirarme   340
Pedro Crespo...

DON MENDO.

                ¿Qué ha de hacerte,
Siendo mi criado, nadie?
Haz lo que manda tu amo.

NUÑO.

Sí haré, aunque no he de sentarme
Con él a la mesa.

DON MENDO.

                Es propio   345
De los que sirven, refranes.

NUÑO.

Albricias, que con su prima
Inés a la reja sale.

DON MENDO.

Di que por el bello oriente,
Coronado de diamantes,   350

Hoy, repitiéndose el sol,
Amanece por la tarde.

(ISABEL e INES, *a una ventana.*)

INES.

Asómate a esa ventana,
Prima, así el cielo te guarde:
Verás los soldados que entran   355
En el lugar.

ISABEL.

No me mandes
Que a la ventana me ponga,
Estando este hombre en la calle,
Inés, pues ya en cuánto el verle
En ella me ofende sabes.   360

INES.

En notable tema ha dado
De servirte y festejarte.

ISABEL.

No soy mas dichosa yo.

INES.

A mi parecer, mal haces
De hacer sentimiento de esto.   365

ISABEL.

¿Pues qué había de hacer?

INES.

Donaire

ISABEL.

¿Donaire de los disgustos?

DON MENDO. (*Llegando a la ventana.*)

Hasta aqueste mismo instante,
Jurara yo a fe de hidalgo

(Que es juramento inviolable) 370
Que no había amanecido;
Mas ¿qué mucho que lo extrañe,
Hasta que a vuestras auroras
Segundo día les sale?

ISABEL.

Ya os he dicho muchas veces, 375
Señor Mendo, cuán en balde
Gastáis finezas de amor,
Locos extremos de amante
Haciendo todos los días
En mi casa y en mi calle. 380

DON MENDO.

Si las mujeres hermosas
Supieran cuánto las hace
Más hermosas el enojo,
El rigor, desdén y ultraje,
En su vida gastarían 385
Más afeite que enojarse.
Hermosa estáis, por mi vida.
Decid, decid más pesares.

ISABEL.

Cuando no baste el decirlos,
Don Mendo, el hacerlos baste 390
De aquella manera. — Inés,
Entrate acá dentro, y dale
Con la ventana en los ojos. *(Vase.)*

INES.

Señor caballero andante,
Que de aventurero entráis 395
Siempre en lides semejantes,
Porque de mantenedor
No era para vos tan fácil,
Amor os provea. *(Vase.)*

DON MENDO.

> Inés,
> Las hermosuras se salen   400
> Con cuanto ellas quieren. — Nuño.

NUÑO.

> ¡Oh qué desairados nacen
> Todos los pobres!

(*Sale* PEDRO CRESPO; *después,* JUAN CRESPO.)

CRESPO. (*Ap.*)

> ¡Que nunca
> Entre y salga yo en mi calle,
> Que no vea a este hidalgote   405
> Pasearse en ella muy grave!

NUÑO. (*Ap. a su amo.*)

> Pedro Crespo viene aquí.

DON MENDO.

> Vamos por esa otra parte;
> Que es villano malicioso.
>> (*Sale Juan Crespo.*)

JUAN. (*Ap.*)

> ¡Que siempre que venga, halle   410
> Esta fantasma a mi puerta,
> Calzada de frente y guantes?

NUÑO. (*Ap. a su amo.*)

> Pero acá viene su hijo.

DON MENDO.

> No te turbes ni embaraces.

CRESPO. (*Ap.*)

> Mas Juanico viene aquí   415

52

JUAN. (*Ap.*)

> Pero aquí viene mi padre.

DON MENDO.

> (*Ap. a Nuño.* Disimula.) Pedro Crespo,
> Dios os guarde.

CRESPO.

> Dios os guarde.

> (*Vanse Don Mendo y Nuño.*)

CRESPO. (*Ap.*)

> El ha dado en porfiar,
> Y alguna vez he de darle   420
> De manera que le duela.

JUAN.

> (*Ap.* Algún día he de enojarme.)
> ¿De adónde bueno, señor?

CRESPO.

> De las eras; que esta tarde
> Salí a mirar la labranza,   425
> Y están las parvas notables
> De manojos y montones,
> Que parecen al mirarse
> Desde lejos montes de oro,
> Y aun oro de más quilates,   430
> Pues de los granos de aqueste
> Es todo el cielo el contraste.
> Allí el bieldo, hiriendo a soplos
> El viento en ellos suave,
> Deja en esta parte el grano,   435
> Y la paja en la otra parte;
> Que aun allí lo más humilde
> Da el lugar a lo más grave.
> ¡Oh, quiera Dios que en las trojes

Yo llegue a encerrarlo, antes   440
Que algún turbión me lo lleve.
O algún viento me lo tale!
Tú, ¿qué has hecho?

JUAN.

              No sé cómo
Decirlo sin enojarte.
A la pelota he jugado   445
Dos partidos esta tarde,
Y entrambos los he perdido.

CRESPO.

Haces bien, si los pagaste.

JUAN.

No los pagué; que no tuve
Dinero para ello: antes   450
Vengo a pedirte, señor...

CRESPO.

Pues escucha antes de hablarme.
Dos cosas no has de hacer nunca:
No ofrecer lo que no sabes
Que has de cumplir, ni jugar   455
Más de lo que está delante;
Porque si por accidente
Falta, tu opinión no falte.

JUAN.

El consejo es como tuyo;
Y porque debo estimarle,   460
He de pagarte con otro.
En tu vida no has de darle
Consejo al que ha menester
Dinero.

CRESPO.

           Bien te vengaste.

(*Sale el Sargento.*)

SARGENTO.

    ¿Vive Pedro Crespo aquí?

CRESPO.

    ¿Hay algo que usted le mande?

SARGENTO.

    Traer a su casa la ropa
    De Don Alvaro de Ataide,
    Que es el capitán de aquesta
    Compañía, que esta tarde   470
    Se ha alojado en Zalamea.

CRESPO.

    No digáis más: eso baste;   465
    Que para servir a Dios,
    Y al Rey en sus capitanes.
    Están mi casa y mi hacienda.   475
    Y en tanto que se le hace
    El aposento, dejad
    La ropa en aquella parte,
    E id a decirle que venga
    Cuando su merced mandare   480
    A que se sirva de todo.

SARGENTO.

    El vendrá luego al instante (*Vase.*)

JUAN.

    ¡Que quieras, siendo tan rico,
    Vivir a estos hospedajes
    Sujeto!

CRESPO.

              Pues ¿cómo puedo   485
    Excusarlos ni excusarme?

JUAN.

    Comprando una ejecutoria.

CRESPO.

Dime por tu vida, ¿hay alguien
Que no sepa que yo soy,
Si bien de limpio linaje,   490
Hombre llano? No por cierto:
Pues ¿qué gano yo en comprarle
Una ejecutoria al Rey,
Si no le compro la sangre?
¿Dirán entonces que soy   495
Mejor que ahora? Es dislate.
Pues ¿qué dirán? Que soy noble
Por cinco o seis mil reales.
Y eso es dinero, y no es honra;
Que honra no la compra nadie.   500
¿Quieres, aunque sea trivial,
Un ejemplillo escucharme?
Es calvo un hombre mil años.
Y al cabo de ellos se hace
Una cabellera. Este,   505
En opiniones vulgares,
¿Deja de ser calvo? No,
Pues que dicen al mirarle:
«¡Bien puesta la cabellera
Trae Fulano!» Pues ¿qué hace,   510
Si aunque no le vean la calva,
Todos que la tiene saben?

JUAN.

Enmendar su vejación,
Remediarse de su parte,
Y redimir las molestias   515
Del sol, del hielo y del aire.

CRESPO.

Yo no quiero honor postizo.
Que el defecto ha de dejarme
En casa. Villanos fueron
Mis abuelos y mis padres;   520
Sean villanos mis hijos.
Llama a tu hermana.

JUAN.

Ella sale.

(*Salen Isabel e Inés.*)

CRESPO.

      Hija, el Rey, nuestro señor.
Que el cielo mil años guarde,
Va a Lisboa, porque en ella   529
Solicita coronarse
Como legítimo dueño:
A cuyo efecto, marciales
Tropas caminan con tantos
Aparatos militares   530
Hasta bajar a Castilla
El tercio viejo de Flandes
Con un Don Lope, que dicen
Todos que es español Marte.
Hoy han de venir a casa   535
Soldados, y es importante
Que no te vean; y así, hija,
Al punto has de retirarte
En esos desvanes, donde
Yo vivía.

ISABEL.

             A suplicarte   540
Me dieses esta licencia
Venía. Yo sé que el estarme
Aquí, es estar solamente
A escuchar mil necedades.
Mi prima y yo en ese cuarto   545
Estaremos, sin que nadie
Ni aun el mismo sol, hoy sepa
De nosotras.

CRESPO.

           Dios os guarde.
Juanico, quédate aquí,

Recibe a huéspedes tales,   550
Mientras busco en el lugar
Algo con que regalarles.   (*Vase.*)

ISABEL.

Vamos, Inés.

INES.

Vamos, prima;
Mas tengo por disparate
El guardar a una mujer,   555
Si ella no quiere guardarse.

(*Vanse Isabel e Inés y salen el Capitán y el Sargento.*)

SARGENTO.

Esta es, señor, la casa.

CAPITAN.

Pues del cuerpo de guardia al punto pasa
Toda mi ropa.

SARGENTO. (*Ap. al Capitán.*)

Quiero
Registrar la villana lo primero. (*Vase.*)   560

JUAN.

Vos seáis bien venido
A aquesta casa; que ventura ha sido
Grande venir a ella un caballero
Tan noble como en vos le considero.
(*Ap.* ¡Qué galán! Qué alentado!
Envidia tengo al traje de soldado)

CAPITAN.

Vos seáis bien hallado.

JUAN.

>Perdonaréis no estar acomodado;
>Que mi padre quisiera
>Que hoy un alcázar esta casa fuera.   570
>El ha ido a buscaros
>Qué comáis; que desea regalaros,
>Y yo voy a que esté vuestro aposento
>Aderezado.

CAPITAN.

>   Agradecer intento
>La merced y el cuidado.   575

JUAN.

>Estaré siempre a vuestros pies postrado.

(Vanse y sale el Sargento.)

CAPITAN.

>¿Qué hay, Sargento? ¿Has ya visto
>A la tal labradora?

SARGENTO.

>   Vive Cristo,
>Que con aquese intento
>No he dejado cocina ni aposento,   580
>Y no la he encontrado.

CAPITAN.

>Sin duda el villanchón la ha retirado.

SARGENTO.

>Pregunté a una criada
>Por ella, y respondióme que ocupada
>Su padre la tenía   585
>En ese cuarto alto, y que no había
>De bajar nunca acá; que es muy celoso.

CAPITAN.

  ¿Qué villano no ha sido malicioso?
  Si acaso aquí la viera,
  De ella caso no hiciera;   590
  Y sólo porque el viejo la ha guardado,
  Deseo, vive Dios, de entrar me ha dado
  Donde está.

SARGENTO.

      Pues ¿qué haremos
  Para que allá, señor, con causa entremos,
  Sin dar sospecha alguna?

CAPITAN.

  Solo por tema la he de ver, y una
  Industria he de buscar.

SARGENTO.

      Aunque no sea
  De mucho ingenio, para quien la vea
  Hoy, no importará nada;
  Que con eso será más celebrada.   600

CAPITAN.

  Oyela pues ahora.

SARGENTO.

      Di, ¿qué ha sido?

CAPITAN.

  Tú has de fingir...—Mas no, pues ha venido
    (*Viendo venir a Rebolledo.*)
  Ese soldado, que es más despejado,
  El fingirá mejor lo que he trazado.

   (*Salen Rebolledo, y La Chispa*)

REBOLLEDO. (*A la Chispa.*)
  Con ese intento vengo   605

A hablar al Capitan, por ver si tengo
Dicha en algo.

CHISPA.

Pues háblale de modo
Que le obligues: que en fin no ha de ser todo
Desatino y locura.

REBOLLEDO.

Préstame un poco tú de tu cordura.   610

CHISPA.

Poco y mucho pudiera.

REBOLLEDO.

Mientras hablo con él, aquí me espera.
(*Adelántase.*)

—Yo vengo a suplicarte...

CAPITAN.

En cuanto puedo
Ayudaré, por Dios, a Rebolledo,
Porque me ha aficionado   615
Su despejo y su brio.

SARGENTO.

Es gran soldado.

CAPITAN.

Pues ¿qué hay que se ofrezca?

REBOLLEDO.

Yo he perdido
Cuanto dinero tengo y he tenido
Y he de tener, porque de pobre juro
En presente, pretérito y futuro,   620
Hágaseme mercer de que, por vía
De ayudilla de costa, aqueste día
El alférez me dé...

CAPITAN.

Diga: ¿qué intenta?

REBOLLEDO.

El juego del boliche por mi cuenta;
Que soy hombre cargado   625
De obligaciones, y hombre al fin honrado.

CAPITAN.

Digo que eso es muy justo,
Y el alférez sabrá que ése es mi gusto.

CHISPA. (*Ap.*)

Bien le habla el Capitán. ¡Oh si me viera
Llamar de todos ya la Bolichera!   630

REBOLLEDO.

Daréle ese recado.

CAPITAN.

Oye, primero
Que lo lleves. De ti fiarme quiero
Para cierta invención que he imaginado,
Con que salir espero de un cuidado.

REBOLLEDO.

Pues ¿qué es lo que se aguarda?   635
Lo que tarda en saberse, es lo que tarda
En hacerse.

CAPITAN.

Escúchame. Yo intento
Subir a ese aposento
Por ver si en él una persona habita,
Que de mí hoy esconderse solicita.   640

REBOLLEDO.

Pues ¿por qué a él no subes?

CAPITAN.

No quisiera

Sin que alguna color para esto hubiera
Por disculparlo más: y así, fingiendo
Que yo riño contigo, has de irte huyendo
Por ahí arriba. Entonces yo enojado,   645
La espada sacaré: tú, muy turbado,
Has de entrarte hasta donde
La persona que busco se me esconde.

REBOLLEDO.

Bien informado quedo.

CHISPA. (*Ap.*)

Pues habla el Capitán con Rebolledo   650
Hoy de aquella manera,
Desde hoy me llamarán la Bolichera.

REBOLLEDO. (*Alzando la voz.*)

¡Vive Dios, que han tenido
Esta ayuda de costa que he pedido,
Un ladrón, un gallina y un cuitado!   655
Y ahora que la pide un hombre honrado,
¡No se la dan!

CHISPA. (*Ap.*)

                Ya empieza su tronera.

CAPITAN.

Pues ¿cómo me habla a mí de esa manera?

REBOLLEDO.

¿No tengo de enojarme,
Cuando tengo razón?

CAPITAN.

                No, ni ha de hablarme.   660
Y agradezca que sufro aqueste exceso.

REBOLLEDO.

Ucé es mi capitán: sólo por eso
Callaré; mas por Dios, que si tuviera

La bengala en la mano...

CAPITAN. (*Echando mano a la espada.*)
                    ¿Qué me hiciera?

CHISPA.
        Tente, señor (*Ap*. Su muerte considera.)   665

REBOLLEDO.
        Que me hablara mejor.

CAPITAN.
                    ¿Qué es lo que espero,
        Que no doy muerte a un pícaro atrevido?
                            (*Desenvaina.*)

REBOLLEDO.
        Huyo, por el respeto que he tenido
        A esa insignia.

CAPITAN.
                    Aunque huyas,
        Te he de matar.

CHISPA.
                    Ya él hizo de las suyas.   670

SARGENTO.
        Tente, señor.

CHISPA.
                    Escucha.

SARGENTO.
                    Aguarda, espera.

CHISPA.
        Ya no me llamarán la Bolichera.

(*Vase el Capitán corriendo tras Rebolledo; el Sargento
    tras el Capitán: sale Juan con espada, y después su
    padre.*)

JUAN, CRESPO y LA CHISPA.

JUAN.

    Acudid todos presto.

CRESPO.

    ¿Qué ha sucedido aquí?

JUAN.

              ¿Qué ha sido esto?

CHISPA.

    Que la espada ha sacado   675
    El Capitán aquí para un soldado,
    Y, esta escalera arriba,
    Sube tras él.

CRESPO.

              ¿Hay suerte mas esquiva?

CHISPA.

    Subid todos tras él.

JUAN. (*Ap.*)

              Acción fué vana
    Esconder a mi prima y a mi hermana   680
             (*Vanse.*)

(*Sale Rebolledo, huyendo, y se encuentra con Isabel e Inés.*)

REBOLLEDO.

    Señora, pues siempre ha sido
    Sagrado el que es templo, hoy
    Sea mi sagrado aqueste,
    Puesto que es templo de amor.

ISABEL.

>¿Quién a huir de esa manera   685
Os obliga?

INES.

>   ¿Qué ocasión
Tenéis de entrar hasta aquí?

ISABEL.

>¿Quién os sigue o busca?

(*Salen el Capitán y el Sargento.*)

CAPITAN.

>   Yo,
Que tengo de dar la muerte
Al pícaro. ¡Vive Dios!   690
Si pensase...

ISABEL.

>   Deteneos,
Siquiera, porque, señor,
Vino a valerse de mí;
Que los hombres como vos
Han de amparar las mujeres,   695
Si no por lo que ellas son,
Porque son mujeres; que esto
Basta, siendo vos quien sois.

CAPITAN.

>No pudiera otro sagrado
Librarle de mi furor,   700
Sino vuestra gran belleza:
Por ella vida le doy.
Pero mirad que no es bien
En tan precisa ocasión
Hacer vos el homicidio   705
Que no queréis que haga yo.

ISABEL.

> Caballero, si cortés
> Ponéis en obligación
> Nuestras vidas, no zozobre
> Tan presto la intercesión.   710
> Que dejéis este soldado
> Os suplico; pero no
> Que cobréis de mí la deuda
> Á que agradecida estoy.

CAPITAN.

> No sólo vuestra hermosura   715
> Es de rara perfección,
> Pero vuestro entendimiento
> Lo es también, porque hoy en vos
> Alianza están jurando
> Hermosura y discreción.   720

(Salen Crespo y Juan, con espadas desnudas; La Chispa.—Dichos.)

CRESPO.

> ¿Cómo es eso, caballero?
> ¿Cuando pensó mi temor
> Hallaros matando un hombre,
> Os hallo...

ISABEL. *(Ap.)*

> ¡Válgame Dios!

CRESPO.

> Requebrando una mujer?   725
> Muy noble, sin duda, sois,
> Pues que tan presto se os pasan
> Los enojos.

CAPITAN.

> Quien nació

Con obligaciones, debe
Acudir a ellas, y yo   730
Al respeto de esta dama
Suspendí todo el furor.

CRESPO.

Isabel es hija mia,
Y es labradora, señor,
Que no dama.

JUAN.

(*Ap.* ¡Vive el cielo,   735
Que todo ha sido invención
Para haber entrado aquí!
Corrido en el alma estoy
De que piensen que me engañan,
Y no ha de ser.) Bien, señor   740
Capitán, pudiérais ver
Con más segura atención
Lo que mi padre desea
Hoy serviros, para no
Haberle hecho este disgusto.   745

CRESPO

¿Quién os mete en eso a vos,
Rapaz? ¿Qué disgusto ha habido?
Si el soldado le enojó,
¿No había de ir tras él? Mi hija
Estima mucho el favor   750
Del haberle perdonado,
Y el de su respeto yo.

CAPITAN.

Claro está que no habrá sido
Otra causa, y ved mejor
Lo que decís.

JUAN.

                    Yo lo he visto   755
Muy bien.

CRESPO.

Pues ¿cómo habláis vos
Así?

CAPITAN.

Porque estáis delante,
Más castigo no le doy
A este rapaz.

CRESPO.

Detened,
Señor Capitán; que yo   760
Puedo tratar a mi hijo
Como quisiere, y no vos.

JUAN.

Y yo sufrirlo a mi padre,
Mas a otra persona no.

CAPITAN.

¿Qué habíais de hacer?

JUAN.

Perder   765
La vida por la opinión.

CAPITAN.

¿Qué opinión tiene un villano?

JUAN.

Aquella misma que vos;
Que no hubiera un capitán,
Si no hubiera un labrador.   770

CAPITAN.

¡Vive Dios, que ya es bajeza
Sufrirlo!

CRESPO.

                Ved que yo estoy
  De por medio.
              (Sacan las espadas.)

REBOLLEDO.

                  ¡Vive Cristo,
  Chispa, que ha de haber hurgón!

CHISPA. (*Voceando.*)

  ¡Aquí del cuerpo de guardia!   775

REBOLLEDO.

  ¡Don Lope! (*Ap.* Ojo avizor.)

(Sale Don Lope, con hábito muy galán y bengala; sol-
   dados, un Tambor.)

DON LOPE.

  ¿Qué es aquesto? La primera
  Cosa que he de encontrar hoy,
  Acabado de llegar,
  ¿Ha de ser una cuestión?   780

CAPITAN. (*Ap.*)

  ¡A qué mal tiempo Don Lope
  De Figueroa llegó!

CRESPO. (*Ap.*)

  Por Dios que se las tenía
  Con todos el rapagón.

DON LOPE.

  ¿Qué ha habido? Qué ha sucedido?   785
  Hablad, porque ¡vive Dios,
  Que a hombres, mujeres y casa
  Eche por un corredor!
  ¿No me basta haber subido

Hasta aquí, con el dolor   790
De esta pierna, que los diablos
Llevaran, amén, sino
No decirme: «Aquesto ha sido?»

CRESPO.

Todo esto es nada, señor.

DON LOPE.

Hablad, decid la verdad.   795

CAPITAN.

Pues es que alojado estoy
En esta casa; un soldado...

DON LOPE.

Decid.

CAPITAN.
                              ocasión me dió
A que sacase con él
La espada: hasta aquí se entró   800
Huyendo; entréme tras él
Donde estaban esas dos
Labradoras; y su padre
Y su hermano, o lo que son,
Se han disgustado de que   805
Entrase hasta aquí.

DON LOPE.
                              Pues yo
A tan buen tiempo he llegado,
Satisfaré a todos hoy.
¿Quién fue el soldado, decid,
Que a su capitán le dió   810
Ocasión de que sacase
La espada?

REBOLLEDO. (*Ap.*)

                    ¿A que pago yo
Por todos?

ISABEL.

Aqueste fue
El que huyendo hasta aquí entró.

DON LOPE.

Denle dos tratos de cuerda.   815

REBOLLEDO.

¿Tra... qué han de darme, señor?

DON LOPE.

Tratos de cuerda.

REBOLLEDO.

Yo hombre
De aquesos tratos no soy.

CHISPA. (*Ap.*)

De esta vez me le estropean.

CAPITAN. (*Ap. a él.*)

¡Ah Rebolledo!, por Dios,   820
Que nada digas: yo haré
Que te libren.

REBOLLEDO.

(*Ap. al Capitán.* ¿Cómo no
Lo he de decir, pues si callo,
Los brazos me pondrán hoy
Atrás como mal soldado?)   825
El Capitán me mandó
Que fingiese la pendencia,
Para tener ocasión
De entrar aquí.

CRESPO.

Ved ahora
Si hemos tenido razón.   830

DON LOPE.

    No tuvisteis para haber
    Así puesto en ocasión
    De perderse este lugar.—
    Hola, echa un bando, tambor:
    Que al cuerpo de guardia vayan   835
    Los soldados cuantos son,
    Y que no salga ninguno,
    Pena de muerte, en todo hoy.—
    Y para que no quedéis
    Con aqueste empeño vos,   840
    Y vos con este disgusto,
    Y satisfechos los dos,
    Buscad otro alojamiento;
    Que yo en esta casa estoy
    Desde hoy alojado, en tanto   845
    Que a Guadalupe no voy
    Donde está el Rey.

CAPITAN.

                 Tus preceptos
    Ordenes precisas son
    Para mí.

(Vanse el Capitán, los soldados y la Chispa.)

CRESPO.

            Entraos allá dentro.

(Vanse Isabel, Inés y Juan.)

CRESPO.

    Mil gracias, señor, os doy   850
    Por la merced que me hicisteis,
    De excusarme la ocasión
    De perderme.

DON LOPE.

> ¿Cómo habíais,
> Decid, de perderos vos?

CRESPO.

> Dando muerte a quien pensara   855
> Ni aun el agravio menor...

DON LOPE.

> ¿Sabéis, vive Dios, que es
> Capitán?

CRESPO.

> Sí, vive Dios;
> Y aunque fuera él general,
> En tocando a mi opinión,   860
> Le matara.

DON LOPE.

> A quien tocara,
> Ni aun al soldado menor,
> Sólo un pelo de la ropa,
> Viven los cielos, que yo
> Le ahorcara.

CRESPO.

> A quien se atreviera   865
> A un átomo de mi honor,
> Viven los cielos también,
> Que también le ahorcara yo.

DON LOPE.

> ¿Sabéis que estáis obligado
> A sufrir, por ser quien sois,   870
> Estas cargas?

CRESPO.

> Con mi hacienda;
> Pero con mi fama no.
> Al Rey la hacienda y la vida
> Se ha de dar; pero el honor

Es patrimonio del alma, 875
Y el alma sólo es de Dios.

DON LOPE.

¡Vive Cristo, que parece
Que vais teniendo razón!

CRESPO.

Sí, vive Cristo, porque
Siempre la he tenido yo. 880

DON LOPE.

Yo vengo cansado, y esta
Pierna que el diablo me dio,
Ha menester descansar.

CRESPO.

Pues ¿quién os dice que no?
Ahí me dio el diablo una cama, 885
Y servirá para vos.

DON LOPE.

¿Y dióla hecha el diablo?

CRESPO.

Sí.

DON LOPE.

Pues a deshacerla voy;
Que estoy, voto a Dios, cansado.

CRESPO.

Pues descansad, voto a Dios. 890

DON LOPE. (*Ap.*)

Testarudo es el villano:
También jura como yo.

CRESPO. (*Ap.*)

Caprichoso es el Don Lope:
No haremos migas los dos.

JORNADA SEGUNDA

DON MENDO, NUÑO

DON MENDO.

    ¿Quién te contó todo eso?

NUÑO.

    Todo esto contó Ginesa,
    Su criada.

DON MENDO.

             ¡El Capitán,
    Después de aquella pendencia
    Que en su casa tuvo (fuese   5
    Ya verdad o ya cautela),
    Ha dado en enamorar
    A Isabel!

NUÑO.

             Y es de manera,
    Que tan poco humo en su casa
    El hace como en la nuestra   10
    Nosotros. En todo el día
    Se ve apartar de la puerta:
    No hay hora que no le envíe
    Recados: con ellos entra
    Y sale un mal soldadillo,   15
    Confidente suyo.

DON MENDO.

            Cesa;
    Que es mucho veneno, mucho,
    Para que el alma lo beba
    De una vez.

NUÑO.

>   Y más no habiendo
>   En el estómago fuerzas   20
>   Con que resistirle.

DON MENDO.

>   Hablemos
>   Un rato, Nuño, de veras.

NUÑO.

>   ¡Pluguiera a Dios fueran burlas!

DON MENDO.

>   ¿Y qué le responde ella?

NUÑO.

>   Lo que a tí, porque Isabel   25
>   Es deidad hermosa y bella,
>   A cuyo cielo no empañan
>   Los vapores de la tierra.

DON MENDO.

>   ¡Buenas nuevas te dé Dios!

*(Al hacer la exclamación, da una manotada a
Núño en el rostro.)*

NUÑO.

>   A tí te dé mal de muelas;   30
>   Que me has quebrado dos dientes.
>   Mas bien has hecho, si intentas
>   Reformarlos, por familia
>   Que no sirve ni aprovecha.—
>   El Capitán.

DON MENDO.

>   ¡Vive Dios,   35
>   Si por el honor no fuera
>   De Isabel, que le matara!

NUÑO. (*Ap.*)

Más será por tu cabeza.

DON MENDO.

Escucharé retirado.—
Aquí a esta parte te llega.   40

(*Salen el Capitán, el Sargento y Rebolledo.*)

CAPITAN.

Este fuego, esta pasión,
No es amor sólo, que es tema,
Es ira, es rabia, es furor.

REBOLLEDO.

¡Oh! ¡nunca, señor, hubieras
Visto a la hermosa villana,   45
Que tantas ansias te cuesta!

CAPITAN.

¿Qué te dijo la criada?

REBOLLEDO.

¿Ya no sabes sus respuestas?

DON MENDO. (*Ap. a Nuño.*)

Esto ha de ser: pues ya tiende
La noche sus sombras negras,   50
Antes que se haya resuelto
A lo mejor mi prudencia,
Ven a armarme.

NUÑO.

¡Pues qué! ¿tienes
Más armas, señor, que aquellas
Que están en un azulejo   55
Sobre el marco de la puerta?

DON MENDO.

>En mi guadarnés presumo
>Que hay para tales empresas
>Algo que ponerme.

NUÑO.

>   Vamos
>Sin que el Capitán nos sienta.   60

>   (*Vanse.*)

CAPITAN.

>¡Que en una villana haya
>Tan hidalga resistencia,
>Que no me haya respondido
>Una palabra siquiera
>Apacible!

SARGENTO.

>   Estas, señor,   65
>No de los hombres se prendan
>Como tú: si otro villano
>La festejara y sirviera,
>Hiciera más caso de él.
>Fuera de que son tus quejas   70
>Sin tiempo. Si te has de ir
>Mañana, ¿para qué intentas
>Que una mujer en un día
>Te escuche y te favorezca?

CAPITAN.

>En un día el sol alumbra   75
>Y falta; en un día se trueca
>Un reino todo; en un día
>Es edificio una peña;
>En un día una batalla
>Pérdida y victoria ostenta: 80
>En un día tiene el mar
>Tranquilidad y tormenta;

En un día nece un hombre
Y muere: luego pudiera
En un día ver mi amor   85
Sombra y luz como planeta,
Pena y dicha como imperio,
Gente y brutos como selva,
Paz e inquietud como mar,
Triunfo y ruina como guerra;   90
Vida y muerte como dueño
De sentidos y potencias.
Y habiendo tenido edad
En un día su violencia
De hacerme tan desdichado,   95
¿Por qué, por qué no pudiera
Tener edad en un día
De hacerme dichoso? ¿Es fuerza
Que se engendren más despacio
Las glorias que las ofensas?   100

SARGENTO.

Verla una vez solamente
¿A tanto extremo te fuerza?

CAPITAN.

¿Qué más causa había de haber,
Llegando a verla, que verla?
De sola una vez a incendio   105
Crece una breve pavesa;
De una vez sola un abismo
Sulfúreo volcán revienta;
De una vez se enciende el rayo,
Que destruye cuanto encuentra;   110
De una vez escupe horror
La más reformada pieza;
¿De una vez amor, qué mucho,
Fuego de cuatro maneras,
Mina, incendio, pieza y rayo,   115
Postre, abrase, asombre y hiera?

SARGENTO.

> ¿No decías, que villanas
> Nunca tenían belleza?

CAPITAN.

> Y aun aquesa confianza
> Me mató, porque el que piensa   120
> Que va a un peligro, ya va
> prevenido a la defensa;
> Quien va a una seguridad,
> Es el que más riesgo lleva,
> Por la novedad que halla,   125
> Si acaso un peligro encuentra.
> Pensé hallar una villana,
> Si hallé una deidad, ¿no era
> Preciso que peligrase
> En mi misma inadvertencia?   130
> En toda mi vida vi
> Más divina, más perfecta
> Hermosura. ¡Ay, Rebolledo
> No sé qué hiciera por verla!

REBOLLEDO.

> En la compañía hay soldado   135
> Que canta por excelencia,
> Y la Chispa, que es mi alcaida
> Del boliche, es la primera
> Mujer en jacarear.
> Haya, señor, jira y fiesta   140
> Y música a su ventana;
> Que con esto podrás verla,
> Y aún hablarla.

CAPITAN.

>   Como está
> Don Lope allí, no quisiera
> Despertarle.

REBOLLEDO.

>   Pues Don Lope   145

¿Cuándo duerme, con su pierna?
Fuera, señor, que la culpa,
Si se entiende, será nuestra,
No tuya, si de rebozo
Vas en la tropa.

CAPITAN.

Aunque tenga   150
Mayores dificultades,
Pase por todas mi pena.
Juntaos todos esta noche;
Mas de suerte que no entiendan
Que yo lo mando. ¡Ah, Isabel,   155
Qué de cuidados me cuestas!
(*Vanse el Capitán y el Sargento.*)

CHISPA. (*Dentro.*)

¡Téngase!

REBOLLEDO.

Chispa, ¿qué es eso?

CHISPA. (*Sale*)

Ahí un pobrete, que queda
Con un rasguño en el rostro.

REBOLLEDO.

Pues ¿por qué fue la pendencia?   160

CHISPA.

Sobre hacerme alicantina
Del barato de hora y media,
Que estuvo echando las bolas,
Teniéndome muy atenta
A si eran pares o nones: 165
Canséme y dile con ésta. (*Saca la daga.*)
Mientras que con el barbero
Poniéndose en puntos queda,
Vamos al cuerpo de guardia;
Que allá te daré la cuenta.   170

REBOLLEDO.

>   ¡Bueno es estar de mohína,
>   Cuando vengo yo de fiesta!

CHISPA.

>   Pues ¿qué estorba el uno al otro?
>   Aquí está la castañeta:
>   ¿Qué se ofrece que cantar?   175

REBOLLEDO.

>   Ha de ser cuando anochezca.
>   Y música más fundada.
>   Vamos, y no te detengas
>   Anda acá al cuerpo de guardia.

CHISPA.

>   Fama ha de quedar eterna   180
>   De mí en el mundo, que soy
>   Chispilla la Bolichera.

>   (*Vanse.*)

>   (*Salen Don Lope y Crespo.*)

CRESPO.

>   En este paso, que está
>   Más fresco, poned la mesa
>   Al señor Don Lope. Aquí   185
>   Os sabrá mejor la cena;
>   Que al fin los días de agosto
>   No tienen más recompensa
>   Que sus noches.

DON LOPE.

>   Apacible
>   Estancia en extremo es ésta.   190

CRESPO.

Un pedazo es de jardín,
En mi hija se divierta.
Sentaos; que el viento suave
Que en las blandas hojas suena
De estas parras y estas copas,   195
Mil cláusulas lisonjeras
Hace el compás de esta fuente,
Cítara de plata y perlas,
Porque son en trastes de oro
Las guijas templadas cuerdas.   200
Perdonad si de instrumentos
Solos la música suena,
Sin cantores que os deleiten,
Sin voces que os entretengan;
Que como músicos son   205
Los pájaros que gorjean,
No quieren cantar de noche,
Ni yo puedo hacerles fuerza.
Sentaos pues, y divertid
Esa continua dolencia.   210

DON LOPE.

No podré; que es imposible
Que divertimiento tenga.
¡Válgame Dios!

CRESPO.

                          Valga, amén.

DON LOPE.

Los cielos me den paciencia.
Sentaos, Crespo.

CRESPO.

                          Yo estoy bien.   215

DON LOPE.

Sentaos.

CRESPO.

          Pues me dais licencia,
Digo, señor, que obedezco,
Aunque excusarlo pudierais. (*Siéntase.*)

DON LOPE.

     ¿No sabéis qué he reparado?
Que ayer la cólera vuestra   220
Os debió de enajenar
De vos.

CRESPO.

          Nunca me enajena
A mí de mí nada.

DON LOPE.

            Pues
¿Cómo ayer, sin que os dijera
Que os sentarais, os sentasteis,   225
Y aun en la silla primera?

CRESPO.

     Porque no me lo dijisteis;
Y hoy, que lo decís, quisiera
No hacerlo: la cortesía.
Tenerla con quien la tenga.   230

DON LOPE.

     Ayer todo erais reniegos.
Porvidas, votos y pesias;
Y hoy estais más apacible,
Con más gusto y más prudencia.

CRESPO.

     Yo, señor, respondo siempre   235
En el tono y en la letra
Que me hablan: ayer vos
Así hablabais, y era fuerza
Que fueran de un mismo tono
La pregunta y la respuesta.   240

Demás de que yo he tomado
Por política discreta
Jurar con aquél que jura.
Rezar con aquél que reza.
A todo hago compañía;   245
Y es aquesto de manera,
Que en toda la noche pude
Dormir, en la pierna vuestra
Pensando, y amanecí
Con dolor en ambas piernas;   250
Que por no errar la que os duele,
Si es la izquierda o la derecha,
Me dolieron a mí entrambas.
Decidme por vida vuestra
Cuál es, y sépalo yo,   255
Porque una sola me duela.

DON LOPE.

¿No tengo mucha razón
De quejarme, si ha ya treinta
Años que asistiendo en Flandes
Al servicio de la guerra,   260
El invierno con la escarcha,
Y el verano con la fuerza
Del sol, nunca descansé,
Y no he sabido qué sea
Estar sin dolor un hora?   265

CRESPO.

¡Dios, señor, os dé paciencia!

DON LOPE.

¿Para qué la quiero yo?

CRESPO.

No os la dé.

DON LOPE.
                    Nunca acá venga
Sino que dos mil demonios
Carguen conmigo y con ella.   270

CRESPO.

>Amén, y si no lo hacen,
Es por no hacer cosa buena.

DON LOPE.

>¡Jesús mil veces Jesús!

CRESPO.

>Con vos y conmigo sea.

DON LOPE.

>¡Vive Cristo, que me muero!   275

CRESPO.

>¡Vive Cristo, que me pesa!

>*(Juan, que saca la mesa.)*

JUAN.

>Ya tienes la mesa aquí.

DON LOPE.

>¿Cómo a servirla no entran
Mis criados?

CRESPO.

>   Yo, señor,
Dije, con vuestra licencia,   280
Que no entraran a serviros,
Y que en mi casa no hicieran
Prevenciones; que a Dios gracias,
Pienso que no os falte en ella
Nada.

DON LOPE.

>   Pues no entran criados,   285
Hacedme merced que venga
Vuestra hija aquí a cenar
Conmigo.

CRESPO.

> Dila que venga
> A tu hermana al punto, Juan.

> > (*Vase Juan.*)

DON LOPE.

> Mi poca salud me deja   290
> Sin sospecha en esta parte.

CRESPO.

> Aunque vuestra salud fuera,
> Señor, la que yo os deseo,
> Me dejara sin sospecha.
> Agravio hacéis a mi amor;   295
> Que nada de eso me inquieta:
> Pues decirla que no entrara
> Aquí, fue con advertencia
> De que no estuviese a oír
> Ociosas impertinencias;   300
> Que si todos los soldados
> Corteses como vos fueran,
> Ella había de asistir
> A servirlos la primera.

DON LOPE. (*Ap.*)

> ¡Qué ladino es el villano,   305
> O cómo tiene prudencia!

> > (*Salen Juan, Inés e Isabel.*)

ISABEL

> ¿Qué es, señor, lo que me mandas?

CRESPO.

> El señor Don Lope intenta
> Honraros: él es quien llama.

ISABEL.

> Aquí está una esclava vuestra.   310

DON LOPE.

> Serviros intento yo.
> (*Ap.* ¡Qúe hermosura tan honesta!)
> Que cenéis conmigo quiero.

ISABEL.

> Mejor es que a vuestra cena
> Sirvamos las dos.

DON LOPE.

>   Sentaos.   315

CRESPO.

> Sentaos, haced lo que ordena
> El señor Don Lope.

ISABEL.

>   Está
> El mérito en la obediencia.
> (*Siéntanse.—Tocan dentro guitarras.*)

DON LOPE.

> ¿Qué es aquello?

CRESPO.

>   Por la calle
> Los soldados se pasean   320
> Tocando y cantando.

DON LOPE.

>   Mal
> Los trabajos de la guerra
> Sin aquesta libertad
> Se llevarán; que es estrecha
> Religión la de un soldado,   325
> Y darle ensanches es fuerza

JUAN.

> Con todo eso, es linda vida.

DON LOPE.

¿Fuérades con gusto a ella?

JUAN.

Si, señor, como llevara
Por amparo a Vuecelencia.   330

UN SOLDADO (*Dentro.*)

Mejor se cantará aquí.

REBOLLEDO. (*Dentro.*)

Vaya a Isabel una letra,
Y porque despierte, tira
A su ventana una piedra.
(*Suena una piedra en una ventana.*)

CRESPO. (*Ap.*)

A ventana señalada   335
Va la música: paciencia.

UNA VOZ. (*Canta dentro.*)

Las flores del romero,
Niña Isabel,
Hoy son flores azules,
Y mañana serán miel.   340

DON LOPE.

(*Ap.* Música, vaya; mas esto
De tirar es desvergüenza...
¡Y a la casa donde estoy
Venirse a dar cantaletas!...
Pero disimularé   345
Por Pedro Crespo y por ella.)
¡Qué travesuras!

CRESPO.

                      Son mozos.
(*Ap.* Si por Don Lope no fuera,
Yo les hiciera...)

JUAN. (*Ap.*)

                    Si yo
    Una rodelilla vieja,   350
    Que en el cuarto de Don Lope
    Está colgada, pudiera
    Sacar
              (*Hace que se va.*)

CRESPO.

                    ¿Dónde vais, mancebo?

JUAN.

    Voy a que traigan la cena.

CRESPO.

    Allá hay mozos que la traigan.   355

SOLDADOS (*Dentro, cantando.*)
    Despierta, Isabel, despierta.

ISABEL. (*Ap.*)

    ¿Qué culpa tengo yo, cielos,
    Para estar a esto sujeta?

DON LOPE.

    Ya no se puede sufrir,
    Porque es cosa muy mal hecha.   360
              (*Arroja la mesa.*)

CRESPO.

    Pues ¡y cómo que lo es!
              (*Arroja la silla.*)

DON LOPE.

    (*Ap.* Llevéme de mi impaciencia.)
    ¿No es, decidme, muy mal hecho
    Que tanto una pierna duela?

CRESPO.

    De eso mismo hablaba yo.   365

92

DON LOPE.

> Pensé que otra cosa era.
> Como arrojasteis la silla...

CRESPO.

> Como arrojasteis la mesa
> Vos, no tuve que arrojar
> Otra cosa yo más cerca.
> (*Ap.* Disimulemos, honor.)   370

DON LOPE.

> (*Ap.* ¡Quién en la calle estuviera!)
> Ahora bien, cenar no quiero.
> Retiraos.

CRESPO.
>   En hora buena.

DON LOPE.

> Señora, quedad con Dios.   375

ISABEL.

> El cielo os guarde.

DON LOPE. (*Ap.*)
>   A la puerta
> De la calle ¿no es mi cuarto?
> Y en él ¿no está una rodela?

CRESPO. (*Ap.*)

> ¿No tiene puerta el corral,
> Y yo una espadilla vieja?   380

DON LOPE.

> Buenas noches.

CRESPO.
>   Buenas noches
> (*Ap.* Encerraré por defuera
> A mis hijos.)

DON LOPE. (*Ap.*)

Dejaré
Un poco la casa quieta.

ISABEL. (*Ap.*)

¡Oh qué mal, cielos, los dos   385
Disimulan que les pesa!

INES. (*Ap.*)

Mal el uno por el otro
Van haciendo la deshecha.

CRESPO.

¡Hola, mancebo!...

JUAN.

Señor.

CRESPO.

Acá está la cama vuestra.   390
(*Vanse.*)

_____

(*Salen el Capitán, el Sargento, la Chispa y Rebolledo,
con guitarras, soldados.*)

REBOLLEDO.

Mejor estamos aquí.
El sitio es más oportuno:
Tome rancho cada uno.

CHISPA.

¿Vuelve la música?

REBOLLEDO.

Sí.

CHISPA.

Ahora estoy en mi centro.   395

CAPITAN.

>¡Que no haya una ventana
>Entreabierto esta villana!

SARGENTO.

>Pues bien lo oyen allá dentro.

CHISPA.

>Espera.

SARGENTO.

>>Será a mi costa.

REBOLLEDO.

>No es maś de hasta ver quién es   400
>Quien llega.

CHISPA.

>>¿Pues qué? ¿no ves
>Un jinete de la costa?

>*(Salen Don Mendo, con adarga, Nuño.)*

DON MENDO. (*Ap. a Nuño.*)

>¿Ves bien lo que pasa?

NUÑO.

>>No,
>No veo bien; pero bien
>Lo escucho

DON MENDO.

>>¿Quién, cielos, quién   405
>Esto puede sufrir?

NUÑO.

>>Yo.

DON MENDO.

 ¿Abrirá acaso Isabel
 La ventana?

NUÑO.

     Sí abrirá.

DON MENDO.

 No hará, villano.

NUÑO.

     No hará.

DON MENDO.

 ¡Ah, celos, pena cruel!   410
 Bien supiera yo arrojar
 A todos a cuchilladas
 De aquí; mas disimuladas
 Mis desdichas han de estar,
 Hasta ver si ella ha tenido   415
 Culpa de ello.

NUÑO.

     Pues aquí
 Nos sentemos.

DON MENDO.

      Bien: así
 Estaré desconocido.

REBOLLEDO.

 Pues ya el hombre se ha sentado,
 Si ya no es que ser ordena   420
 Algún alma que anda en pena,
 De las cañas que ha jugado,
 Con su adarga a cuestas, da
 Voz al aire.

     (*A la Chispa.*)

CHISPA.

   Ya él la lleva.

REBOLLEDO.

Va una jácara tan·nueva, 425
Que corra sangre.

CHISPA.

Sí hará.

(*Salen Don Lope y Crespo, a un tiempo, con broqueles, y
cada uno por su lado.*)

CHISPA. (*Canta.*)

*Erase cierto Sampayo,
La Flor de los andaluces,
El jaque de mayor porte
Y el rufo de mayor lustre.* 430
*Este pues a la Chillona
Halló un día...*

REBOLLEDO.

No le culpen
La fecha; que el consonante
Quiere que haya sido en lunes.

CHISPA.

Halló, digo, a la Chillona, 435
*Que brindando entre dos luces,
Ocupaba con el Garlo
La casa de las azumbres.
El Garlo, que siempre fue,
En todo lo que le cumple,* 440
*Rayo de tejado abajo,
Porque era rayo sin nube,
Sacó la espada, y a un tiempo
Un tajo y revés sacude.*

CRESPO.

Sería de esta manera. 445

97

DON LOPE.

    Que sería así no duden.—

(*Acuchillan Don Lope y Crespo a los soldados y a Don Mendo y Nuño métenlos, y vuelve Don Lope.*)

Huyeron, y uno ha quedado
De ellos, que es el que está aquí.

          (*Vuelve Crespo.*)

CRESPO. (*Ap.*)

    Cierto es que el que queda allí,
    Sin duda es algún soldado.   450

DON LOPE. (*Ap.*)

    Ni aun éste se ha de escapar
    Sin almagre.

CRESPO. (*Ap.*)

             Ni éste quiero
    Que quede sin que mi acero
    La calle le haga dejar.

DON LOPE.

    Huid con los otros.

CRESPO.

             Huid vos,   455
    Que sabréis huir más bien.
          (*Riñen.*)

DON LOPE. (*Ap.*)

    ¡Vive Dios, que riñe bien!

CRESPO. (*Ap.*)

    ¡Bien pelea, vive Dios!

       (*Salen Juan, con espada.*)

JUAN.

> (*Ap.* Quiera el cielo que le tope.)
> Señor, a tu lado estoy.   460

DON LOPE.

> ¿Es Pedro Crespo?

CRESPO.

> Yo soy.
> ¿Es Don Lope?

DON LOPE.

> Sí, es Don Lope.
> ¿Que no habíais, no dijísteis,
> De salir? ¿Que hazaña es ésta?

CRESPO.

> Sean disculpa y respuesta   465
> Hacer lo que vos hicisteis.

DON LOPE.

> Aquesta era ofensa mía,
> Vuestra no.

CRESPO.

> No hay que fingir;
> Que yo he salido a reñir
> Por haceros compañía.   470

SOLDADOS. (*Dentro.*)

> A dar muerte nos juntemos
> A estos villanos.

CAPITAN. (*Dentro.*)

> Mirad...

(*Salen los soldados y el Capitán.*)

DON LOPE.

> ¿A dónde vais? Esperad.
> ¿De qué son estos extremos?

CAPITAN.

> Los soldados han tenido   475
> (Porque se estaban holgando
> En esta calle, cantando
> Sin alboroto y ruido)
> Una pendencia, y yo soy
> Quien los está deteniendo.   480

DON LOPE.

> Don Alvaro, bien entiendo
> Vuestra prudencia; y pues hoy
> Aqueste lugar está
> En ojeriza, yo quiero
> Excusar rigor más fiero;   485
> Y pues amanece ya,
> Orden doy que en todo el día,
> Para que mayor no sea
> El daño, de Zalamea
> Saquéis vuestra compañía;   490
> Y estas cosas acabadas,
> No vuelvan a ser, porque
> Otra vez la paz pondré,
> Vive Dios, a cuchilladas.

CAPITAN.

> Digo que por la mañana   495
> La compañía haré marchar,
> (*Ap.* La vida me has de costar,
> Hermosísima villana.)

CRESPO. (*Ap.*)

> Caprichudo es el Don Lope;
> Ya haremos migas los dos.   500

DON LOPE.

> Veníos conmigo vos,

Y solo ninguno os tope.

(*Vanse.*)

(*Sale Don Mendo y Nuño, heridos.*)

DON MENDO.

¿Es algo, Nuño, la herida?

NUÑO.

Aunque fuera menor, fuera
De mí muy mal recibida,   505
Y mucho más que quisiera.

DON MENDO.

Yo no he tenido en mi vida
Mayor pena ni tristeza.

NUÑO.

Yo tampoco.

DON MENDO.

        Que me enoje
Es justo. ¿Que su fiereza   510
Luego te dio en la cabeza?

NUÑO.

Todo este lado me coge.

(*Tocan dentro.*)

DON MENDO.

¿Qué es esto?

NUÑO.

        La compañía,
Que hoy se va.

DON MENDO.

        Y es dicha mia,

Pues con eso cesarán   515
Los celos del Capitán.

NUÑO.

Hoy se ha de ir en todo el día.

(*Salen el Capitán y el Sargento, a un lado.*)

CAPITAN.

Sargento, vaya marchando
Antes que decline el día
Con toda la compañía   520
Y con prevención que cuando
Se esconda en la espuma fría
Del océano español
Ese luciente farol,
En ese monte le espero,   525
Porque hallar mi vida quiero
Hoy en la muerte del sol.

SARGENTO. (*Ap. al Capitán.*)

Calla, que está aquí un figura
Del lugar.

DON MENDO. (*Ap. a Nuño.*)

              Pasar procura,
Sin que entienda mi tristeza.   530
No muestres, Nuño, flaqueza.

NUÑO.

¿Puedo yo mostrar gordura?

(*Vanse Don Mendo y Nuño.*)

CAPITAN.

Yo he de volver al lugar,
Porque tengo prevenida

Una criada, a mirar   535
Si puedo por dicha hablar
A aquesta hermosa homicida.
Dávidas han granjeado
Que apadrine mi cuidado.

SARGENTO.

Pues, señor, si has de volver,   540
Mira que habrás menester
Volver bien acompañado;
Porque al fin no hay que fiar
de villanos.

CAPITAN.

      Ya lo sé,
Algunos puedes nombrar   545
Que vuelvan conmigo.

SARGENTO.

      Haré
Cuanto me quieras mandar.
Pero, si acaso volviese
Don Lope, y te conociese
Al volver...

CAPITAN.

      Ese temor   550
Quiso también que perdiese
En esta parte mi amor;
Que Don Lope se ha de ir
Hoy también a prevenir
Todo el tercio a Guadalupe;   555
Que todo lo dicho supe
Yéndome ahora a despedir
De él, porque ya el Rey vendrá,
Que puesto en camino está.

SARGENTO.

Voy, señor, a obedecerte.   560

CAPITAN.

Que me va la vida advierte.

(*Salen Rebolledo y la Chispa.*)

REBOLLEDO.

Señor, albricias me da.

CAPITAN.

¿De qué han de ser, Rebolledo?

REBOLLEDO.

Muy bien merecerlas puedo,
Pues solamente te digo...   565

CAPITAN.

¿Qué?

REBOLLEDO.

que ya hay un enemigo
Menos a quien tener miedo.

CAPITAN.

¿Quién es? Dilo presto.

REBOLLEDO.

Aquel
Mozo, hermano de Isabel.
Don Lope se le pidió   570
Al padre, y él se le dio,
Y va a la guerra con él,
En la calle le he encontrado
Muy galán, muy alentado,
Mezclando a un tiempo, señor,   575
Rezagos de labrador
Con primicias de soldado:
De suerte que el viejo es ya
Quien pesadumbre nos da.

CAPITAN.

> Todo nos sucede bien,　　　　　　　　580
> Y más si me ayuda quien
> Esta esperanza me da,
> De que esta noche podré
> Hablarla.

REBOLLEDO.

> 　　　　　　No pongas duda.

CAPITAN.

> Del camino volveré;　　　　　　　585
> Que ahora es razón que acuda
> A la gente que se ve
> Ya marchar. Los dos seréis
> Los que conmigo vendréis.　　(*Vase.*)

REBOLLEDO.

> Pocos somos, vive Dios,　　　　　　590
> Aunque vengan otros dos,
> Otros cuatro y otros seis.

CHISPA.

> Y yo, si tú has de volver,
> Allá ¿qué tengo de hacer?
> Pues no estoy segura yo,　　　　　595
> Si da conmigo el que dio
> Al barbero que coser.

REBOLLEDO.

> No sé qué he de hacer de tí.
> ¿No tendrás ánimo, di,
> De acompañarme?

CHISPA.

> 　　　　　　¿Pues no?　　　600
> Vestido no tengo yo,
> Animo y esfuerzo, sí.

REBOLLEDO.

> Vestido no faltará;
> Que ahí otro del paje está
> De jineta, que se fue. 605

CHISPA.

> Pues yo plaza pasaré
> Con él.

REBOLLEDO.

> Vamos, que se va
> La bandera.

CHISPA.

> Y yo veo ahora
> Por qué en el mundo he cantado.
> «Que el amor del soldado 610
> No dura un hora.» (*Vanse.*)

(*Salen Don Lope, Crespo y Juan.*)

DON LOPE.

> A muchas cosas os soy
> En extremo agradecido;
> Pero sobre todas, esta
> De darme hoy a vuestro hijo 615
> Para soldado, en el alma
> Os la agradezco y estimo.

CRESPO.

> Yo os le doy para criado.

DON LOPE.

> Yo os le llevo para amigo;
> Que me ha inclinado en extremo 620
> Su desenfado y su brío,
> Y la afición a las armas.

JUAN.

> Siempre a vuestros pies rendido
> Me tendréis, y vos veréis
> De la manera que os sirvo, 625
> Procurando obedeceros
> En todo.

CRESPO.

>   Lo que os suplico,
> Es que perdonéis, señor,
> Si no acertare a serviros,
> Porque en el rústico estudio, 630
> Adonde rejas y trillos,
> Palas, azadas y bieldos
> Son nuestros mejores libros,
> No habrá podido aprender
> Lo que en los palacios ricos 635
> Enseña la urbanidad
> Política de los siglos.

DON LOPE.

> Ya que va perdiendo el sol
> La fuerza, irme determino.

JUAN.

> Veré si viene, señor, 640
> La litera.   *(Vase.)*

(*Salen Isabel e Inés.*)

ISABEL.

>   ¿Y es bien iros,
> Sin que os despidáis de quien
> Tanto desea serviros?

DON LOPE. (*A Isabel.*)

> No me fuera sin besaros
> Las manos y sin pediros 645

Que liberal perdonéis
Un atrevimiento digno
De perdón, porque no el premio
Hace el don, sino el servicio.
Esta venera, que aunque   650
Está de diamantes ricos
Guarnecida, llega pobre
A vuestras manos, suplico
Que la toméis y traigáis
Por patena, en nombre mío.   655

ISABEL.

Mucho siento que penséis,
Con tan generoso indicio,
Que pagáis el hospedaje,
Pues de honra que recibimos,
Somos los deudores.

DON LOPE.

               Esto   660
No es paga, sino cariño.

ISABEL.

Por cariño, y no por paga,
Solamente la recibo,
A mi hermano os encomiendo,
Ya que tan dichoso ha sido   665
Que merece ir por criado
Vuestro.

DON LOPE.

           Otra vez os afirmo
Que podéis descuidar de él;
Que va, señora, conmigo.

(Sale Juan.)

JUAN.

Ya está la litera puesta.   670

DON LOPE.

Con Dios os quedad.

CRESPO.

El mismo
Os guarde.

DON LOPE.

¡Ah buen Pedro Crespo!

CRESPO.

¡Ah señor Don Lope invicto!

DON LOPE.

¿Quién no dijera aquel día
Primero que aquí nos vimos,   675
Que habíamos de quedar
Para siempre tan amigos?

CRESPO.

Yo lo dijera, señor,
Si allí supiera, al oiros,
Que erais...

DON LOPE.

¡Decid por mi vida!   680

CRESPO.

Loco de tan buen capricho.

(*Vase Don Lope.*)

CRESPO.

En tanto que se acomoda
El señor Don Lope, hijo,
Ante tu prima y tu hermana
Escucha lo que te digo.   685
Por la gracia de Dios, Juan,

Eres de linaje límpio,
Más que el sol, pero villano;
Lo uno y lo otro te digo,
Aquello, porque no humilles 690
Tanto tu orgullo y tu brío,
Que dejes, desconfiado,
De aspirar con cuerdo arbitrio
A ser más; lo otro, porque
No vengas, desvanecido, 695
A ser menos: igualmente
Usa de entrambos designios
Con humildad; porque siendo
Humilde, con recto juicio
Acordarás lo mejor; 700
Y como tal, en olvido
Pondrás cosas que suceden
Al revés en los altivos.
¡Cuántos, teniendo en el mundo
Algún defecto consigo, 705
Le han borrado por humildes!
Y ¡a cuántos, que no han tenido
Defecto, se le han hallado,
Por estar ellos mal vistos!
Sé cortés sobremanera, 710
Sé liberal y esparcido;
Que el sombrero y el dinero
Son los que hacen los amigos;
Y no vale tanto el oro
Que el sol engendra en el indio 715
Suelo y que conduce el mar,
Como ser uno bienquisto.
No hables mal de las mujeres;
La más humilde, te digo
Que es digna de estimación. 720
Porque, al fin, de ellas nacimos.
No riñas por cualquier cosa;
Que cuando en los pueblos miro
Muchos que a reñir enseñan,
Mil veces entre mí digo: 725
«Aquesta escuela no es

La que ha de ser, pues colijo
Que no ha de enseñarse a un hombre
Con destreza, gala y brío
A reñir, sino a por qué   730
Ha de reñir, que yo afirmo
Que si hubiera un maestro solo
Que enseñara prevenido,
No el cómo, el por qué se riña,
Todos le dieran sus hijos»:   735
Con esto, y con el dinero
Que llevas para el camino,
Y para hacer, en llegando
De asiento, un par de vestidos,
Al amparo de Don Lope   740
Y mi bendición, yo fío
En Dios que tengo de verte
En otro puesto. Adios, hijo;
Que me enternezco en hablarte.

JUAN.

Hoy tus razones imprimo   745
En el corazón, adonde
Vivirán, mientras yo vivo.
Dame tu mano, y tú, hermana,
Los brazos; que ya ha partido
Don Lope, mi señor, y es   750
Fuerza alcanzarle.

ISABEL.

                    Los mios
Bien quisieran detenerte.

JUAN.

    Prima, adiós.

INES.

              Nada te digo
Con la voz, porque los ojos
Hurtan a la voz su oficio.   755
Adiós.

CRESPO.

> Ea, vete presto;
> Que cada vez que te miro,
> Siento más el que te vayas:
> Y haz por ser lo que te he dicho.

JUAN.

> El cielo con todos quede.   760

CRESPO.

> El cielo vaya contigo.

> (*Vase Juan.*)

ISABEL.

> ¡Notable crueldad has hecho!

CRESPO.

> (*Ap.* Ahora que no le miro,
> Hablaré más consolado.)
> ¿Qué había de hacer conmigo,   765
> Sino ser toda su vida
> Un holgazán, un perdido?
> Váyase a servir al Rey.

ISABEL.

> Que de noche haya salido,
> Me pesa a mí.

CRESPO.

> Caminar   770
> De noche por el estío,
> Antes es comodidad
> Que fatiga, y es preciso
> Que a Don Lope alcance luego
> Al instante. (*Ap.* Enternecido   775
> Me deja, cierto, e: muchacho,
> Aunque en público me animo.)

ISABEL.

Entrate, señor, en casa

INES.

Pues sin soldados vivimos,
Estémonos otro poco   780
Gozando a la puerta el frío
Viento que corre; que luego
Saldrán por ahí los vecinos.

CRESPO.

(*Ap.* A la verdad, no entro dentro,
Porque desde aquí imagino,   785
Como el camino blanquea,
Que veo a Juan en el camino.)
Inés, sácame a esta puerta
Asiento.

INES.

Aquí está un banquillo.

ISABEL.

Esta tarde diz que ha hecho   790
La villa elección de oficios.

CRESPO.

Siempre aquí por el agosto
Se hace.
                    (*Siéntanse.*)

(*Salen el Capitán, el Sargento, Rebolledo, la Chispa y
    soldados enbozados.*)

CAPITAN. (*Ap. a los suyos.*)

Pisad sin ruido.
Llega, Rebolledo, tú, Y da a la criada aviso
Y da a la criada aviso   795
De que ya estoy en la calle.

REBOLLEDO.

Yo voy. Mas ¿qué es lo que miro?
A su puerta hay gente.

SARGENTO.

                Y yo
En los reflejos y visos
Que la luna hace en el rostro,   800
Que es Isabel, imagino,
Esta.

CAPITAN.

            Ella es: más que la luna,
El corazón me lo ha dicho.
A buena ocasión llegamos.
Si ya, una vez que venimos,   805
Nos atrevemos a todo,
Buena venida habrá sido.

SARGENTO.

¿Estás para oír un consejo?

CAPITAN.

No.

SARGENTO.

            Pues ya no te le digo.
Intenta lo que quisieres.   810

CAPITAN.

Yo he de llegar, y atrevido
Quitar a Isabel de allí.
Vosotros a un tiempo mismo
Impedid a cuchilladas
El que me sigan.

SARGENTO.

            Contigo   815
Venimos, y a tu orden hemos
De estar.

CAPITAN.

> Advertid que el sitio
> Donde habemos de juntarnos
> Es ese monte vecino.
> Que está a la mano derecha, 820
> Como salen del camino.

REBOLLEDO.

Chispa.

CHISPA.

¿Qué?

REBOLLEDO.

Ten estas capas.

CHISPA.

> Que es del reñir, imagino,
> La gala el guardar la ropa,
> Aunque del nadar se dijo. 825

CAPITAN.

Yo he de llegar el primero.

CRESPO.

> Harto hemos gozado el sitio.
> Entrémonos allá dentro.

CAPITAN. (*Ap. a los suyos.*)

Ya es tiempo, llegad, amigos.

(*Lléganse a los tres los soldados; detienen a Crespo y a Inés, y se apoderan de Isabel.*)

ISABEL.

¡Ah traidor! Señor, ¿qué es esto? 830

CAPITAN.

>Es una furia, un delirio
>De amor.   (*Llévala y vase.*)

ISABEL. (*Dentro.*)

>>>¡Ah traidor! —¡Señor!

CRESPO.

>¡Ah cobardes!

ISABEL. (*Dentro.*)

>>>¡Padre mio!

INES. (*Ap.*)

>Yo quiero aquí retirarme.   (*Vase.*)

CRESPO.

>¡Cómo echáis de ver (¡ah impíos!)   835
> traido y sin espada, aleves,
>Falsos y traidores!

REBOLLEDO.

>>>>Idos,
>Si no queréis que la muerte
>Sea el último castigo.

CRESPO.

>¿Qué importará, si está muerto   840
>Mi honor, el quedar yo vivo!
>¡Ah! ¡quién tuviera una espada!
>Porque sin armas seguirlos
>Es en vano; y si brioso
>A ir por ella me aplico,   845
>Los he de perder de vista.
>¿Qué he de hacer, hados esquivos,
>Que de cualquiera manera
>Es uno solo el peligro?

>>>(*Inés, con una espada. Crespo.*)

INES.

>Ya tienes aquí la espada.   150

CRESPO.

>A buen tiempo la has traído.
>Ya tengo honra, pues tengo
>Espada con que seguiros.

CRESPO.

>Soltad la presa, traidores
>Cobardes, que habéis cogido;   855
>Que he de cobrarla, o la vida
>He de perder.

SARGENTO.

>   Vano ha sido
>Tu intento, que somos muchos.

CRESPO.

>Mis males son infinitos,
>Y riñen todos por mí...   (*Cae.*)   860
>—Pero la tierra que piso,
>Me ha faltado.

REBOLLEDO.

>   Dadle muerte.

SARGENTO.

>Mirad que es rigor impío
>Quitarle vida y honor.
>Mejor es en lo escondido   865
>Del monte dejarle atado,
>Porque no lleve el aviso

ISABEL. (*Dentro.*)

>¡Padre y señor!

CRESPO.

>   ¡Hija mia!

REBOLLEDO.

>Retírale como has dicho.

CRESPO.

> Hija, solamente puedo 870
> Seguirte con mis suspiros.

> > (*Llévanle.*)

> > (*Sale Juan.*)

ISABEL. (*Dentro.*)
> ¡Ay de mí!

JUAN. (*Saliendo.*)

> > ¡Qué triste voz!

CRESPO. (*Dentro.*)
> ¡Ay de mí!

JUAN.

> > ¡Mortal gemido!
> A la entrada de ese monte
> Cayó mi rocín conmigo, 875
> Veloz corriendo, y yo ciego
> Por la maleza le sigo.
> Tristes voces a una parte,
> Y a otra míseros gemidos
> Escucho, que no conozco, 880
> Porque llegan mal distintos.
> Dos necesidades son
> Las que apellidan a gritos
> Mi valor; y pues iguales
> A mi parecer han sido, 885
> Y uno es hombre, otro mujer,
> A seguir ésta me animo;
> Que así obedezco a mi padre
> En dos cosas que me dijo:
> «Reñir con buena ocasión, 890
> Y honrar la mujer», pues miro
> Que así honro las mujeres,
> Y con buena ocasión riño.

JORNADA TERCERA.

(Sale Isabel, llorando.)

Nunca amanezca a mis ojos
La luz hermosa del día,
Porque a su sombra no tenga
Vergüenza yo de mí misma.
¡Oh tú, de tantas estrellas   5
Primavera fugitiva,
No des lugar a la aurora,
Que tu azul campaña pisa,
Para que con risa y llanto
Borre tu apacible vista,   10
O ya que ha de ser, que sea
Con llanto, mas no con risa!
Detente, oh mayor planeta,
Más tiempo en la espuma fría
Del mar: deja que una vez   15
Dilate la noche esquiva
Su trémulo imperio: deja
Que de tu deidad se diga,
Atenta a mis ruegos, que es
Voluntaria y no precisa.   20
¿Para qué quieres salir
A ver en la historia mía
La más enorme maldad,
La más fiera tiranía,
Que en vergüenza de los hombres   25
Quiere el cielo que se escriba?
Mas ¡ay de mí! que parece
Que es crueldad tu tiranía;
Pues desde que te he rogado
Que te detuvieses, miran   30
Mis ojos tu faz hermosa
Descollarse por encima
De los montes. ¡Ay de mí!,

Que acosada y perseguida
De tantas penas, de tantas   35
Ansias, de tantas impías
Fortunas, contra mi honor
Se han conjurado tus iras.
¿Qué he de hacer? ¿Dónde he de ir?
Si a mi casa determinan   40
Volver mis erradas plantas,
Será dar nueva mancilla
Al anciano padre mío,
Que otro bien, otra alegría
No tuvo, sino mirarse   45
En la clara luna limpia
De mi honor, que hoy, ¡desdichado!,
Tan torpe mancha le eclipsa.
Si dejo, por su respeto
Y mi temor afligida,   50
De volver a casa, dejo
Abierto el paso a que digan
Que fui cómplice en mi infamia;
Y ciega e inadvertida
Vengo a hacer de la inocencia   55
Acreedora a la malicia.
¡Qué mal hice, qué mal hice
De escaparme fugitiva
De mi hermano! ¿No valiera
Más que su cólera altiva   60
Me diera la muerte, cuando
Llegó a ver la suerte mía?
Llamarle quiero, que vuelva
Con saña más vengativa
Y me dé muerte: confusas   65
Voces el eco repita,
Diciendo...

CRESPO. (*Dentro.*)

                    ¡Vuelve a matarme!
Serás piadoso homicida;
Que no es piedad el dejar
A un desdichado con vida.   70

ISABEL.

    ¿Qué voz es ésta, qué mal
    Pronunciada y poco oída,
    No se deja conocer?

CRESPO. (*Dentro.*)

    Dadme muerte, si os obliga
    Ser piadosos.

ISABEL.

            ¡Cielos, cielos!   75
    Otro la muerte apellida,
    Otro desdichado hay más,
    Que hoy a pesar suyo viva.

(*Apartan unas ramas, y descúbrese Crespo atado.*)

    Mas ¿qué es lo que ven mis ojos?

CRESPO.

    Si piedades solicita   80
    Cualquiera que aqueste monte
    Temerosamente pisa,
    Llegue a dar muerte... Mas ¡cielos!
    ¿Qué es lo que mis ojos miran?

ISABEL.

    Atadas atrás las manos   85
    A una rigurosa encina...

CRESPO.

    Enterneciendo los cielos
    Con las voces que apellida...

ISABEL.

    Mi padre está.

CRESPO.

            Mi hija veo.

ISABEL.

¡Padre y señor!

CRESPO.

                     Hija mía   90
Llégate, y quita estos lazos.

ISABEL.

No me atrevo; que si quitan
Los lazos que te aprisionan,
Una vez las manos mías,
No me atreveré, señor,   95
A contarte mis desdichas,
A referirte mis penas;
Porque si una vez te miras
Con manos, y sin honor,
Me darán muerte tus iras;   100
Y quiero, antes que las veas,
Referirte mis fatigas.

CRESPO.

Detente, Isabel, detente,
No prosigas; que hay desdichas
Que para contarlas, no   105
Es menester referirlas.

ISABEL.

Hay muchas cosas que sepas,
Y es forzoso que al decirlas,
Tu valor se irrite, y quieras
Vengarlas antes de oírlas.   110
—Estaba anoche gozando
La seguridad tranquila,
Que al abrigo de tus canas
Mis años me prometían,
Cuando aquellos embozados   115
Traidores (que determinan
Que lo que el honor defiende,
El atrevimiento rinda)
Me robaron: bien así

Como de los pechos quita   120
Carnicero hambriento lobo
A la simple corderilla.
Aquel Capitán, aquel
Huésped ingrato, que el día
Primero introdujo en casa   125
Tan nunca esperada cisma
De traiciones y cautelas,
De pendencias y rencillas,
Fue el primero que en sus brazos
Me cogió, mientras le hacían   130
Espaldas otros traidores,
Que en su bandera militan.
Aqueste intrincado, oculto
Monte, que está a la salida
Del lugar, fue su sagrado: 135
¿Cuándo de la tiranía
No son sagrados los montes?
Aquí ajena de mí misma
Dos veces me miré, cuando
Aun tu voz, que me seguía,   140
Me dejó; porque ya el viento,
A quien tus acentos fías,
Con la distancia, por puntos
Adelgazándose iba:
De suerte, que las que eran   145
Antes razones distintas,
No eran voces, sino ruido;
Luego, en el viento esparcidas,
No eran voces, sino ecos
De unas confusas noticias;   150
Como aquél que oye un clarín,
Que cuando de él se retira,
Le queda por mucho rato,
Si no el ruido, la noticia.
El traidor, pues, en mirando   155
Que ya nadie hay que le siga,
Que ya nadie hay que me ampare,
Porque hasta la luna misma
Ocultó entre pardas sombras,

O cruel o vengativa,   160
Aquella ¡ay de mí! prestada
Luz que del sol participa;
Prendió ¡ay de mí otra vez
Y otras mil! con fementidas
Palabras, buscar disculpa   165
A su amor. ¿A quién no admira
Querer de un instante a otro
Hacer la ofensa caricia?
¡Mal haya el hombre, mal haya
El hombre que solicita   170
Por fuerza ganar un alma,
Pues no advierte, pues no mira
Que las victorias de amor,
No hay trofeo en que consistan.
Sino en granjear el cariño   175
De la hermosura que estiman!
Porque querer sin el alma
Una hermosura ofendida,
Es querer a una mujer
Hermosa, pero no viva.   180
¡Qué ruegos, qué sentimientos,
Ya de humilde, ya de altiva,
No le dije! Pero en vano,
Pues (calle aquí la voz mía)
Soberbio (enmudezca el llanto), 185
Atrevido (el pecho gima),
Descortés (lloren los ojos),
Fiero (ensordezca la envidia),
Tirano (falte el aliento),
Osado (luto me vista)...   190
Y si lo que la voz yerra,
Tal vez con la acción se explica,
De vergüenza cubro el rostro,
De empacho lloro ofendida,
De rabia tuerzo las manos,   195
El pecho rompo de ira:
Entiende tú las acciones,
Pues no hay voces que lo digan,
Baste decir que a las quejas

De los vientos repetidas, 200
En que ya no pedía al cielo
Socorro, sino justicia,
Salió el alba, y con el alba,
Trayendo la luz por guía,
Sentí ruido entre unas ramas: 205
Vuelvo a mirar quién sería,
Y veo a mi hermano. ¡Ay cielos!
¿Cuándo, cuándo ¡ah suerte impía!
Llegaron a un desdichado
Los favores más aprisa? 210
El a la dudosa luz,
Que, si no alumbra, ilumina,
Reconoce el daño antes
Que ninguno se lo diga;
Que son linces los pesares, 215
Que penetran con la vista.
Sin hablar palabra, saca
El acero que aquel día
Le ceñiste: el Capitán,
Que el tardo socorro mira 320
En mi favor, contra el suyo
Saca la blanca cuchilla:
Cierra el uno con el otro;
Este repara, aquél tira;
Y yo, en tanto que los dos 225
Generosamente lidian,
Viendo temerosa y triste
Que mi hermano no sabía
Si tenía culpa o no,
Por no aventurar mi vida 230
En la disculpa, la espalda
Vuelvo, y por la entretejida
Maleza del monte huyo;
Pero no con tanta prisa,
Que no hiciese de unas ramas 235
Intrincadas celosías,
Porque deseaba, señor,
Saber lo mismo que huía.
A poco rato, mi hermano

Dio al Capitán una herida: 240
Cayó, quiso asegundarle,
Cuando los que ya venían
Buscando a su capitán,
En su venganza se irritan.
Quiere defenderse; pero 245
Viendo que era una cuadrilla,
Corre veloz; no le siguen,
Porque todos determinan
Más acudir al remedio
Que a la venganza que incitan. 250
En brazos al Capitán
Volvieron hacia la villa,
Sin mirar en su delito;
Que en las penas sucedidas,
Acudir determinaron 255
Primero a la más precisa.
Yo, pues, que atenta miraba
Eslabonadas y asidas
Unas ansias de otras ansias,
Ciega, confusa y corrida, 260
Discurrí, bajé corrí,
Sin luz, sin norte, sin guía,
Monte, llano y espesura,
Hasta que a tus pies rendida,
Antes que me des la muerte 265
Te he contado mis desdichas.
Ahora que ya las sabes,
Rigurosamente anima
Contra mi vida el acero,
El valor contra mi vida; 270
Que ya para que me mates,
Aquestos lazos te quitan   (*Le desata.*)
Mis manos: alguno de ellos
Mi cuello infeliz oprima.
Tu hija soy, sin honra estoy 275
Y tú libre: solicita
Con mi muerte tu alabanza,
Para que de ti se diga
Que por dar vida a tu honor,

Diste la muerte a tu hija. 280

(*Arrodíllase.*)
CRESPO.

Alzate, Isabel, del suelo;
No, no estés más de rodillas;
Que a no haber estos sucesos
Que atormenten y que aflijan,
Ociosas fueran las penas, 285
Sin estimación las dichas:
Para los hombres se hicieron,
Y es menester que se impriman
Con valor dentro del pecho.
Isabel, vamos aprisa: 290
Demos la vuelta a mi casa;
Que este muchacho peligra,
Y hemos menester hacer
Diligencias exquisitas
Por saber de él y ponerle 295
En salvo.

ISABEL. (*Ap.*)
                    Fortuna mía,
O mucha cordura, o mucha
Cautela es ésta.

CRESPO.
                    Camina.
¡Vive Dios, que si la fuerza
Y necesidad precisa 300
De curarse, hizo volver
Al Capitán a la villa,
Que pienso que le está bien
Morirse de aquella herida,
Por excusarse de otra
Y otras mil! que el ansia mía
No ha de parar, hasta darle
La muerte. Ea, vamos, hija,
A nuestra casa.

(*Sale el Escribano.*)

ESCRIBANO.

                          ¡Oh señor
         Pedro Crespo! dadme albricias.   310

CRESPO.

         ¡Albricias! ¿De qué, Escribano?

ESCRIBANO.

         El concejo aqueste día
         Os ha hecho alcalde, y tenéis
         Para estrena de justicia
         Dos grandes acciones hoy: 315
         La primera, es la venida
         Del Rey, que estará hoy aquí
         O mañana en todo el día,
         Según dicen; es la otra,
         Que ahora han traído a la villa   320
         De secreto unos soldados
         A curarse con gran prisa
         A aquel Capitán, que ayer
         Tuvo aquí su compañía.
         El no dice quién le hirió;   325
         Pero si esto se averigua,
         Será una gran causa.

CRESPO.

                          (Ap. ¡Cielos!
         ¡Cuando vengarte imaginas,
         Me hace dueño de mi honor
         La vara de la justicia!   330
         ¿Cómo podré delinquir
         Yo, si en esta hora misma
         Me ponen a mí por juez,
         Para que otros no delincan?
         Pero cosas como aquestas   335
         No se ven con tanta prisa.)
         En extremo agradecido
         Estoy a quien solicita
         Honrarme

ESCRIBANO.

> Venid a la casa
> Del concejo, y recibida   340
> La posesión de la vara,
> Haréis en la causa misma
> Averiguaciones.

CRESPO.

> Vamos.—
> A tu casa te retira.

ISABEL.

> ¡Duélase el cielo de mí!   345
> ¿No he de acompañarte?

CRESPO.

> Hija,
> Ya tenéis el padre alcalde:
> El os guardará justicia.

> (*Vanse.*)

———

(*Salen el Capitán, con banda, como herido; y el Sargento.*)

CAPITAN.

> Pues la herida no era nada,
> ¿Por qué me hicisteis volver   350
> Aquí?

SARGENTO.

> ¿Quién pudo saber
> Lo que era antes de curada?
> Ya la cura prevenida,
> Hemos de considerar
> Que no es bien aventurar   355
> Hoy la vida por la herida.
> ¿No fuera mucho peor
> Que te hubieras desangrado?

CAPITAN.

> Puesto que ya estoy curado,
> Detenernos será error.
> Vámonos, antes que corra
> Voz de que estamos aquí.
> ¿Están ahí los otros?

360

SARGENTO.

Sí.

CAPITAN.

> Pues la fuga nos socorra
> Del riesgo de estos villanos;
> Que si se llega a saber
> Que estoy aquí, habrá de ser
> Fuerza apelar a las manos.

365

(Sale Rebolledo.)

REBOLLEDO.

> La justicia aquí se ha entrado.

CAPITAN.

> ¿Qué tiene que ver conmigo
> Justicia ordinaria?

370

REBOLLEDO.

Digo
> Que ahora hasta aquí ha llegado.

CAPITAN.

> Nada me puede a mí estar
> Mejor: llegando a saber
> Que estoy aquí, y no temer
> A la gente del lugar;
> Que la justicia, es forzoso
> Remitirme en esta tierra
> A mi consejo de guerra:

375

Con que, aunque el lance es penoso,   380
Tengo mi seguridad.

REBOLLEDO.

Sin duda, se ha querellado
El villano.

CAPITAN.

                    Eso he pensado.

(*Salen Crespo, el Escribano, labradores.—Dichos.*)

CRESPO. (*Dentro.*)

Todas las puertas tomad,
Y no me salga de aquí   385
Soldado que aquí estuviere;
Y al que salirse quisiere,
Matadle.

CAPITAN.

                    Pues ¿cómo así
Entráis? (*Ap.* Mas ¡qué es lo que veo!)

(*Sale Pedro Crespo con vara, y labradores con él.*)

CRESPO.

¿Cómo no? A mi parecer,   390
La justicia ¿ha menester
Más licencia?

CAPITAN.

                    A lo que creo,
La justicia (cuando vos
De ayer acá lo seáis)
No tiene, si lo miráis,   395
Que ver conmigo.

CRESPO.

Por Dios,
Señor, que no os alteréis;
Que sólo a una diligencia
Vengo, con vuestra licencia,
Aquí, y que solo os quedéis   400
Importa.

CAPITAN. (*Al Sargento y a Rebolledo.*)

Salíos de aquí.

CRESPO. (*A los labradores.*)

Salíos vosotros también.
(*Ap. al Escribano.* Con esos soldados ten
Gran cuidado.)

ESCRIBANO.

Harélo así.

(*Vanse los labradores, el Sargento, Rebolledo y el Escribano.*)

CRESPO.

Ya que yo, como justicia,   405
Me valí de su respeto
Para obligaros a oirme,
La vara a esta parte dejo,
Y como un hombre no más,
Deciros mis penas quiero.   410
(*Arrima la vara.*)
Y puesto que estamos solos,
Señor Don Alvaro, hablemos
Más claramente los dos,
Sin que tantos sentimientos
Como han estado encerrados   415
En las cárceles del pecho
Acierten a quebrantar
Las prisiones del silencio.

132

Yo soy un hombre de bien,
Que a escoger mi nacimiento,   420
No dejara (es Dios testigo)
Un escrúpulo, un defecto
En mí, que suplir pudiera
La ambición de mi deseo.
Siempre acá entre mis iguales   425
Me he tratado con respeto:
De mí hacen estimación
El cabildo y el concejo.
Tengo muy bastante hacienda,
Porque no hay, gracias al cielo,   430
Otro labrador más rico
En todos aquestos pueblos
De la comarca; mi hija
Se ha criado, a lo que pienso,
Con la mejor opinión,   435
Virtud y recogimiento
Del mundo: tal madre tuvo;
Téngala Dios en el cielo.
Bien pienso que bastará,
Señor, para abono de esto,   440
El ser rico, y no haber quien
Me murmure, ser modesto,
Y no haber quien me baldone,
Y mayormente, viviendo
En un lugar corto, donde   445
Otra falta no tenemos
Más que saber unos de otros
Las faltas y los defectos,
Y ¡pluguiera a Dios, señor,
Que se quedara en saberlos!   450
Si es muy hermosa mi hija,
Díganlo vuestros extremos...
Aunque pudiera, al decirlo,
Con mayores sentimientos
Llorarlo porque esto fue   455
Mi desdicha.—No apuremos
Toda la ponzoña al vaso;
Quédese algo al sufrimiento.

—No hemos de dejar, señor,
Salirse con todo al tiempo;   460
Algo hemos de hacer nosotros
Para encubrir sus defectos.
Este, ya veis si es bien grande;
Pues aunque encubrirle quiero,
No puedo; que sabe Dios   465
Que a poder estar secreto
Y sepultado en mí mismo,
no viniera a lo que vengo;
Que todo esto remitiera,
Por no hablar, al sufrimiento.   470
Deseando, pues, remediar
Agravio tan manifiesto,
Buscar remedio a mi afrenta,
Es venganza, no es remedio;
Y vagando de uno en otro.   475
Uno solamente advierto,
Que a mí me está bien, y a vos
No mal; y es, que desde luego
Os toméis toda mi hacienda,
Sin que para mi sustento   480
Ni el de mi hijo (a quien yo
Traeré a echar a los pies vuestros)
Reserve un maravedí,
Sino quedarnos pidiendo
Limosna, cuando no haya   485
Otro camino, otro medio
Con que poder sustentarnos.
Y si queréis desde luego
Poner una S y un clavo
Hoy a los dos y vendernos,   490
Será aquesta cantidad
Más del dote que os ofrezco.
Restaurad una opinión
Que habéis quitado. No creo
Que desluzcáis vuestro honor,   495
Porque los merecimientos
Que vuestros hijos, señor,
Perdieren por ser mis nietos,

Ganarán con más ventaja,
Señor, por ser hijos vuestros.   500
En castilla, el refrán dice
Que el caballo (y es lo cierto)
Lleva la silla.—Mirad   (*De rodillas.*)
Que a vuestros pies os lo ruego
De rodillas, y llorando   505
Sobre estas canas, que el pecho,
Viendo nieves y aguas, piensa
Que se me están derritiendo.
¿Qué os pido? Un honor os pido,
Que me quitasteis vos mesmo;   510
Y con ser mío, parece,
Según os lo estoy pidiendo
Con humildad, que no es mío
Lo que os pido, sino vuestro.
Mirad que puedo tomarle   515
Por mis manos, y no quiero,
Sino que vos me le déis.

CAPITAN.

Ya me falta el sufrimiento.
Viejo cansado y prolijo,
Agradeced que no os doy   520
La muerte a mis manos hoy,
Por vos y por vuestro hijo;
Porque quiero que debáis
No andar con vos más cruel,
A la beldad de Isabel.   525
Sin vengar solicitáis
Por armas vuestra opinión,
Poco tengo que temer;
Si por justicia ha de ser,
No tenéis jurisdicción.   530

CRESPO.

¿Que en fin, no os mueve mi llanto?

CAPITAN.

Llanto no se ha de creer
De viejo, niño y mujer.

CRESPO.

> ¿Que no pueda dolor tanto
> Mereceros un consuelo?   535

CAPITAN.

> ¿Qué más consuelo queréis,
> Pues con la vida volvéis?

CRESPO.

> Mirad que echado en el suelo,
> Mi honor a voces os pido.

CAPITAN.

> ¡Qué enfado!

CRESPO.

>   Mirad que soy   540
> Alcalde en Zalamea hoy.

CAPITAN.

> Sobre mí no habéis tenido
> Jurisdicción; el consejo
> De guerra enviará por mí.

CRESPO.

> ¿En eso os resolvéis?

CAPITAN.

>   Sí,   545
> Caduco y cansado viejo.

CRESPO.

> ¿No hay remedio?

CAPITAN.

>   Sí, el callar
> Es el mejor para vos.

CRESPO.

> ¿No otro?

CAPITAN.

No.

CRESPO.

Pues juro a Dios,
Que me lo habéis de pagar.—   550
¡Hola!

(*Levántase y toma la vara.*)

UN LABRADOR. (*Dentro.*)

¡Señor!

CAPITAN. (*Ap.*)

¿Qué querrán
Estos villanos hacer?

(*Salen los labradores.*)

LABRADORES.

¿Qué es lo que mandas?

CRESPO.

Prender
Mando al señor Capitán.

CAPITAN.

¡Buenos son vuestros extremos!   555
Con un hombre como yo,
Y en servicio del Rey, no
Se puede hacer.

CRESPO.

Probaremos.
De aquí, si no es preso o muerto,
No saldréis.

CAPITAN.

Yo os apercibo   560
Que soy un capitán vivo.

CRESPO.

¿Soy yo acaso alcalde muerto?
Daos al instante a prisión.

CAPITAN.

No me puedo defender:
Fuerza es dejarme prender.   565
Al Rey de esta sinrazón
Me quejaré.

CRESPO.

                          Yo también
De esa otra: –y aun bien que está
Cerca de aquí, y nos oirá
A los dos.— Dejar es bien   570
Esa espada.

CAPITAN.

                     No es razón
Que...

CRESPO.

                ¿Cómo no, si vais preso?

CAPITAN.

Tratad con respeto...

CRESPO.

                                Eso
Está muy puesto en razón.
Con respeto le llevad   575
A las casas, en efecto,
Del concejo; y con respeto
Un par de grillos le echad
Y una cadena; y tened,
Con respeto, gran cuidado   580
Que no hable a ningún soldado;
Y a esos dos también poned
En la cárcel; que es razón,
Y aparte, porque después,

Con respeto, a todos tres   585
Les tomen la confesión.
Y aquí, para entre los dos,
Si hallo harto paño, en efecto,
Con muchísimo respeto,
Os he de ahorcar, juro a Dios.   590

CAPITAN.

¡Ah villanos con poder!

(*Vanse los labradores con el Capitán.*)

(*Salen Rebolledo, la Chispa, y el Escribano.*)

ESCRIBANO.

Este paje, este soldado
Son a los que mi cuidado
Sólo ha podido prender;
Que otro se puso en huida.   595

CRESPO.

Este el pícaro es que canta:
Con un paso de garganta
No ha de hacer otro en su vida.

REBOLLEDO.

¿Pues qué delito es, señor,
El cantar?

CRESPO.

Que es virtud siento,   600
Y tanto, que un instrumento
Tengo en que cantéis mejor.
Resolveos a decir...

REBOLLEDO.

¿Qué?

CRESPO.

                    cuanto anoche pasó...

REBOLLEDO.

          Tu hija mejor que yo   605
          Lo sabe.

CRESPO.
                         O has de morir.

CHISPA. (*Ap. a él.*)

          Rebolledo, determina
          Negarlo punto por punto:
          Serás, si niegas, asunto
          Para una jacarandina   610
          Que cantaré.

CRESPO.

                              A vos despues
          También os harán cantar.

CHISPA.

          A mí no me pueden dar
          Tormento.

CRESPO.

                         Sepamos pues,
          ¿Por qué?

CHISPA.

          Eso es cosa asentada.   615
          Y que no hay ley que tal mande.

CRESPO.

          ¿Qué causa tenéis?

CHISPA.

                         Bien grande.

CRESPO.

          Decid, ¿cuál?

CHISPA.

Estoy preñada.

CRESPO.

¿Hay cosa más atrevida?
Mas la cólera me inquieta.   620
¿No sois paje de jineta?

CHISPA.

No, señor, sino de brida.

CRESPO.

Resolveos a decir
Vuestros dichos.

CHISPA.

Sí diremos,
Aún más de lo que sabemos;   629
Que peor será morir.

CRESPO.

Eso excusará a los dos
Del tormento.

CHISPA.

Si es así,
Pues para cantar nací,
He de cantar, vive Dios: 630
(*Canta.*) *Tormento me quieren dar.*

REBOLLEDO. (*Canta.*)

¿Y qué quieren darme a mí?

CRESPO.

¿Qué hacéis?

CHISPA.

Templar desde aquí,
Pues que vamos a cantar.   635
(*Vanse.*)

———

(Sale Juan.)

JUAN.

Desde que al traidor herí
En el monte, desde que
Riñendo con él (porque
Llegaron tantos) volví
La espalda, el monte he corrido,
La espesura he penetrado,　　　　　640
Y a mi hermana no he encontrado.
En efecto, me he atrevido
A venirme hasta el lugar
Y entrar dentro de mi casa,
Donde todo lo que pasa　　　　　645
A mi padre he de contar.
Veré lo que me aconseja
Que haga ¡Cielos! en favor
De mi vida y de mi honor.

(Salen Inés e Isabel.)

INES.

Tanto sentimiento deja;　　　　　650
Que vivir tan afligida,
No es vivir, matarte es

ISABEL.

¿Pues quién te ha dicho ¡ay Inés!
Que no aborrezco la vida?

JUAN.

Diré a mi padre... (*Ap.* ¡Ay de mí!　　650... 655
¿No es ésta Isabel? Es llano,
Pues ¿qué espero?)　　　　　*(Saca la daga.)*

INES.

　　　　　¡Primo!

ISABEL.

¡Hermano!
¿Qué intentas?

JUAN.

Vengar así
La ocasión en que hoy has puesto
Mi vida y mi honor.

ISABEL.

Advierte...   660

JUAN.

¡Tengo de darte la muerte,
Viven los cielos!

(*Salen Crespo y labradores.*)

CRESPO.

¿Qué es esto?

JUAN.

Es satisfacer, señor,
Una injuria, y es vengar
Una ofensa y castigar...   665

CRESPO.

Basta, basta; que es error
Que os atreváis a venir...

JUAN.

¿Qué es lo que mirando estoy?

CRESPO.

Delante así de mí hoy,
Acabando ahora de herir   670
En el monte un capitán.

JUAN.

> Señor, si le hice esa ofensa,
> Que fue en honrada defensa,
> De tu honor...

CRESPO.

>   Ea, basta, Juan.—
> Hola, llevadle también   675
> Preso.

JUAN.

>   ¿A tu hijo, señor,
> Tratas con tanto rigor?

CRESPO.

> Y aun a mi padre también
> Con tal rigor le tratara.
> (*Ap.* Aquesto es asegurar   680
> Su vida, y han de pensar
> Que es la justicia más rara
> Del mundo.)

JUAN.

>   Escucha por qué,
> Habiendo un traidor herido,
> A mi hermana he pretendido   685
> Matar también.

CRESPO.

>   Ya lo sé;
> Pero no basta saberlo
> Yo como yo; que ha de ser
> Como alcalde, y he de hacer
> Información sobre ello.   690
> Y hasta que conste qué culpa
> Te resulta del proceso,
> Tengo de tenerte preso.
> (*Ap.* Yo le hallaré la disculpa.)

144

JUAN.

    Nadie entender solicita   695
    Tu fin, pues sin honra ya,
    Prendes a quien te la da,
    Guardando a quien te la quita
             (*Llévanle preso.*)

CRESPO.

    Isabel, entra a firmar
    Esta querella que has dado   700
    Contra aquél que te ha injuriado.

ISABEL.

    Tú, que quisiste ocultar
    La ofensa que el alma llora,
    ¿Así intentas publicarla?
    Pues no consigues vengarla,   705
    Consigue el callarla ahora.

CRESPO.

    No: ya que como quisiera,
    Me quita esta obligación
    Satisfacer mi opinión,
    Ha de ser de esta manera.   (*Vase Isabel.*)
    Inés, pon ahí esa vara;
    Que pues por bien no ha querido
    Ver el caso concluído,
    Querrá por mal.
           (*Vase Ines.*)

    (*Sale Don Lope y soldados.*)

DON LOPE. (*Dentro.*)

               Para, para.

CRESPO.

    ¿Qué es aquesto? ¿Quién, quién hoy   715

Se apea en mi casa así?
Pero ¿quién se ha entrado aquí?

(*Salen Don Lope y soldados.*)

DON LOPE.

¡Oh Pedro Crespo! Yo soy;
Que volviendo a este lugar
De la mitad del camino   720
(Donde me trae, imagino,
Un grandísimo pesar),
No era bien ir a apearme
A otra parte, siendo vos
Tan mi amigo.

CRESPO.

Guárdeos Dios;   725
Que siempre tratáis de honrarme.

DON LOPE.

Vuestro hijo no ha parecido
Por allá.

CRESPO.

Presto sabréis
La ocasión: la que tenéis,
Señor, de haberos venido,   730
Me haced merced de contar;
Que venís mortal, señor.

DON LOPE.

La desvergüenza es mayor
Que se puede imaginar.
Es el mayor desatino   735
Que hombre ninguno intentó.
Un soldado me alcanzó
Y me dijo en el camino...
—Que estoy perdido, os confieso,
De cólera.

CRESPO.

Proseguid. 740

DON LOPE.

Que un alcaldillo de aquí
Al Capitán tiene preso.—
Y ¡vive Dios! no he sentido
En toda aquesta jornada
Esta pierna excomulgada, 745
Sino es hoy, que me ha impedido
El haber antes llegado
Donde el castigo le dé.
¡Vive Jesucristo, que
Al grande desvergonzado 750
A palos le he de matar!

CRESPO.

Pues habéis venido en balde,
Porque pienso que el alcalde
No se los dejará dar.

DON LOPE.

Pues dárselos, sin que deje 755
Dárselos.

CRESPO.

Malo lo veo;
Ni que haya en el mundo creo
Quien tan mal os aconseje.
¿Sabéis por qué le prendió?

DON LOPE.

No; mas sea lo que fuere, 760
Justicia la parete espere
De mí; que también sé yo
Degollar, si es necesario.

CRESPO.

Vos no debéis de alcanzar,
Señor, lo que en un lugar 765
Es un alcalde ordinario.

DON LOPE.

¿Será más que un villanote?

CRESPO.

Un villanote será,
Que si cabezudo da
En que ha de darle garrote,   770
Par Dios, se salga con ello.

DON LOPE.

No se saldrá tal, par Dios;
Y si por ventura vos,
Si sale o no, queréis vello,
Decid dónde vive o no.   775

CRESPO.

Bien cerca vive de aquí.

DON LOPE.

Pues a decirme venid
Quién es el alcalde.

CRESPO.

                              Yo.

DON LOPE.

¡Vive Dios, que si sospecho!...

CRESPO.

¡Vive Dios, como os lo he dicho!   780

DON LOPE.

Pues, Crespo, lo dicho dicho.

CRESPO.

Pues, señor, lo hecho hecho.

DON LOPE.

Yo por el preso he venido,
Y a castigar este exceso.

CRESPO.

> Pues yo acá le tengo preso 785
> Por lo que acá ha sucedido.

DON LOPE.

> ¿Vos sabéis que a servir pasa
> Al Rey, y soy su juez yo?

CRESPO.

> ¿Vos sabéis que me robó
> A mi hija de mi casa? 790

DON LOPE.

> ¿Vos sabéis que mi valor
> Dueño de esta causa ha sido?

CRESPO.

> ¿Vos sabéis cómo atrevido
> Robó en un monte mi honor?

DON LOPE.

> ¿Vos sabéis cuánto os prefiere 795
> El cargo que he gobernado?

CRESPO.

> ¿Vos sabéis que le he rogado
> Con la paz, y no la quiere?

DON LOPE.

> Que os entráis, es bien se arguya,
> En otra jurisdicción.

CRESPO.

> El se me entró en mi opinión,
> Sin ser jurisdicción suya.

DON LOPE.

> Yo sabré satisfacer,
> Obligándome a la paga.

CRESPO.

> Jamás pedí a nadie que haga 805
> Lo que yo me pueda hacer.

DON LOPE.

> Yo me he de llevar el preso.
> Ya estoy en ello empeñado.

CRESPO.

> Yo por acá he sustanciado
> El proceso.

DON LOPE.

> ¿Qué es proceso? 810

CRESPO.

> Unos pliegos de papel
> Que voy juntando, en razón
> De hacer la averiguación
> De la causa.

DON LOPE.

> Iré por él
> A la cárcel.

CRESPO.

> No embarazo 815
> Que vais: solo se repare,
> Que hay orden, que al que llegare,
> Le den un arcabuzazo.

DON LOPE.

> Como a esas balas estoy
> Enseñado yo a esperar. 820
> Mas no se ha de aventurar
> Nada es esta acción de hoy.—
> Hola, soldado, id volando,
> Y a todas las compañías
> Que alojadas estos días 825
> Han estado y van marchando.

Decid que bien ordenadas
Lleguen aquí en escuadrones,
Con balas en los cañones
Y con las cuerdas caladas. 830

UN SOLDADO.

No fue menester llamar
La gente; que habiendo oído
Aquesto que ha sucedido,
Se han entrado en el lugar.

DON LOPE.

Pues, vive Dios, que he de ver 835
Si me dan el preso o no.

CRESPO.

Pues vive Dios, que antes yo
Haré lo que se ha de hacer.

(*Vanse.*)

———

(*Suenan cajas.*)
(*Hablan dentro.*)

DON LOPE.

Esta es la cárcel, soldados,
Adonde está el Capitán: 840
Si no os le dan, al momento
Poned fuego y la abrasad,
Y si se pone en defensa
El lugar, todo el lugar.

ESCRIBANO.

Ya, aunque la cárcel enciendan, 845
No han de darle libertad.

SOLDADOS.

Mueran aquestos villanos.

CRESPO.

¿Que mueran? Pues ¡qué! ¿no hay más?

DON LOPE.

Socorro les ha venido.
Romped la cárcel: llegad,   850
Romped la puerta.

(*Salen los soldados y Don Lope por un lado; y por otro, el
Rey, Crespo, labradores y acompañamiento.*

REY.

                              ¿Qué es esto?
Pues ¿de esta manera estáis,
Viniendo yo?

DON LOPE.

                              Esta es, señor,
La mayor temeridad
De un villano, que vio el mundo.   855
Y, vive Dios, que a no entrar
En el lugar tan aprisa,
Señor, vuestra Majestad,
Que había de hallar luminarias
Puestas por todo el lugar.   860

REY.

¿Qué ha sucedido?

DON LOPE.

                              Un alcalde
Ha prendido un capitán,
Y viniendo yo por él,
No le quieren entregar.

REY.

¿Quién es el alcalde?

CRESPO.

           Yo.   865

REY.

    ¿Y qué disculpa me dais?

CRESPO.

    Este proceso, en quien bien
Probado el delito está,
Digno de muerte, por ser
Una doncella robar,   870
Forzarla en un despoblado,
Y no quererse casar
Con ella, habiendo su padre
Rogádole con la paz.

DON LOPE.

    Este es el alcalde, y es   875
Su padre.

CRESPO.

              No importa en tal
Caso, porque si un extraño
Se viniera a querellar,
¿No había de hacer justicia?
Sí: pues ¿qué más se me da   880
Hacer por mi hija lo mismo
Que hiciera por los demás?
Fuera de que, como he preso
Un hijo mío, es verdad
Que no escuchara a mi hija,   885
Pues era la sangre igual!...
Mírese si está bien hecha
La causa, miren si hay
Quien diga que yo haya hecho
En ella alguna maldad,   890
Si he inducido algún testigo,
Si está escrito algo de más
De lo que he dicho, y entonces
Me den muerte.

REY.

Bien está
Sentenciado; pero vos   895
No tenéis autoridad
De ejecutar la sentencia
Que toca a otro tribunal.
Allá hay justicia, y así
Remitid el preso.

CRESPO.

Mal   900
Podré, señor, remitirle,
Porque como por acá
No hay mas que sola una audiencia,
Cualquiera sentencia que hay,
La ejecuta ella, y así   905
Está ejecutada ya.

REY.

¿Qué decís?

CRESPO.

Si no creéis
Que es esto, señor, verdad,
Volved los ojos, y vedlo.
Aqueste es el capitán.   910

(*Abren una puerta, y aparece dado garrote en una silla el Capitán.*)

REY.

Pues ¿cómo así os atrevisteis?...

CRESPO.

Vos habéis dicho que está
Bien dada aquesta sentencia.
Luego esto no está hecho mal.

154

REY.

    El consejo ¿no supiera   915
    La sentencia ejecutar?

CRESPO.

    Toda la justicia vuestra
    Es sólo un cuerpo no más:
    Si éste tiene muchas manos,
    Decid, ¿qué más se me da   920
    Matar con aquesta un hombre,
    Que esta otra había de matar?
    Y ¿qué importa errar lo menos,
    Quien ha acertado lo más?

REY.

    Pues ya que aquesto es así,   925
    ¿Por qué, como a capitán
    Y caballero, no hicisteis
    Degollarle?

CRESPO.

               ¿Eso dudáis?
    Señor, como los hidalgos
    Viven tan bien por acá,   930
    El verdugo que tenemos,
    No ha aprendido a degollar.
    Y ésa es querella del muerto,
    Que toca a su autoridad,
    Y hasta que él mismo se queje,   935
    No les toca a los demás.

REY.

    Don Lope, aquesto ya es hecho.
    Bien dada la muerte está;
    Que errar lo menos no importa,
    Si acertó lo principal.   940
    Aquí no quede soldado
    Alguno, y haced marchar
    Con brevedad; que me importa
    Llegar presto a Portugal.—

Vos por alcalde perpetuo   945
De aquesta villa os quedad.

CRESPO.

Solo vos a la justicia
Tanto supierais honrar.

(*Vanse el Rey y el acompañamiento.*)

DON LOPE.

Agradeced al buen tiempo
Que llegó su Majestad.   950

CRESPO.

Par Dios, aunque no llegara,
No tenía remedio ya.

DON LOPE.

¿No fuera mejor hablarme,
Dando el preso, y remediar
El honor de vuestra hija?   955

CRESPO.

En un convento entrará;
Que ha elegido y tiene esposo,
Que no mira en calidad.

DON LOPE.

Pues dadme los demás presos.

CRESPO.

Al momento los sacad.   960

(*Vase el Escribano.*)

(*Rebolledo, la Chispa, soldados; después, Juan.—Don
Lope, Crespo, soldados y labradores.*)

DON LOPE.

Vuestro hijo falta, porque
Siendo mi soldado ya,
No ha de quedar preso.

CRESPO.

                    Quiero
También, señor, castigar
El desacato que tuvo   965
De herir a su capitán;
Que aunque es verdad que su honor
A esto le pudo obligar,
De otra manera pudiera.

DON LOPE.

Pedro Crespo, bien está: 970
Llamadle.

CRESPO.

                Ya él está aquí.
                (Sale Juan.)

JUAN.

Las plantas, señor, me dad;
Que a ser vuestro esclavo iré.

REBOLLEDO.

Yo no pienso ya cantar
En mi vida.

CHISPA.

                Pues yo sí,   975
Cuantas veces a mirar
Llegue al pasado instrumento.

CRESPO.

Con que fin el autor da
A esta historia verdadera:
Sus defectos perdonad.

INDICE